하루 한 장 75일
집중 완성

KB087424

교과 연산

F2

초6 분수의 나눗셈

변화를 정확히 이해해야 합니다.

수학의 기본이면서 이제는 필수가 된 연산 학습, 그런데 왜 우리 아이들은 많은 학습지를 풀고도 학교에 가면 연산 문제를 해결하지 못할까요?

지금 우리 아이들이 학습하는 교과서는 과거와는 많이 다릅니다. 단순 계산력을 확인하는 문제 대신 다양한 상황을 제시하고 상황에 맞게 문제를 해결하는 과정을 평가합니다. 그래서 단순히 계산하여 답을 내는 것보다 문장을 이해하고 상황을 판단하여 스스로 식을 세우고 문제를 해결하는 복합적인 사고 과정이 필요합니다.

그림을 보고 상황을 판단하는 능력, 그림을 보고 상황을 말로 표현하는 능력, 문장을 이해하는 능력 등 상황 판단 능력을 길러야 하는 이유입니다.

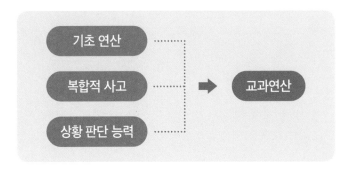

연산 원리를 학습함에 있어서도 대표적인 하나의 풀이 방법을 공식처럼 외우기만 해서는 지금의 연산 문제를 해결하기 어렵습니다. 연산 학습과 함께 다양한 방법으로 수를 분해하고 결합하는 과정, 즉 수 자체에 대한 학습도 병행되어야 합니다.

교과연산은 연산 학습과 함께 수 자체를 온전히 학습할 수 있도록 단계마다 '수특강'을 구성하고 있습니다. 계산은 문제를 해결하는 하나의 과정으로서의 의미가 큽니다.

학교에서 배우게 될 내용과 직접적으로 관련이 있는 교과연산으로 가장 먼저 시작하기를 추천드립니다. 요즘 연산은 교과 연산입니다.

"계산은 그 자체가 목적이 아닙니다. 문제를 해결하는 하나의 과정입니다."

하루 **한** 장, 75일에 완성하는 **교과연산**

한 단계는 총 4권으로 수를 학습하는 0권과 연산을 학습하는 1권, 2권, 3권으로 구성되어 있습니다.

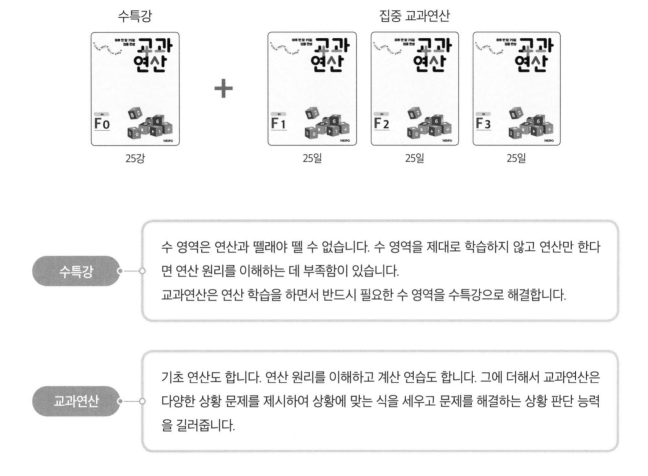

수특강

수 영역은 연산과 뗄래야 뗄 수 없습니다. 수 영역을 제대로 학습하지 않고 연산만 한다면 연산 원리를 이해하는 데 부족함이 있습니다.
교과연산은 연산 학습을 하면서 반드시 필요한 수 영역을 수특강으로 해결합니다.

교과연산

기초 연산도 합니다. 연산 원리를 이해하고 계산 연습도 합니다. 그에 더해서 교과연산은 다양한 상황 문제를 제시하여 상황에 맞는 식을 세우고 문제를 해결하는 상황 판단 능력을 길러줍니다.

"연산을 이해하기 위해서는 수를 먼저 이해해야 합니다."

원리는 기본, 복합적 사고 문제까지 다루는 교과연산

원리
수와 연산의 원리를
이해하고 연습합니다.

복합적 사고
연산 원리를 이용하여
다양한 소재의 복합적
문제를 해결합니다.

상황 판단 문제
문장 이해력을 기르고
상황에 맞는 식을 세워
문제를 해결합니다.

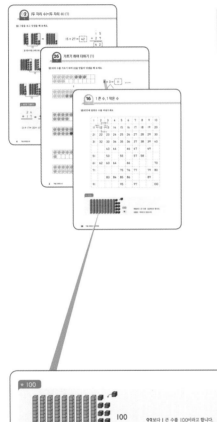

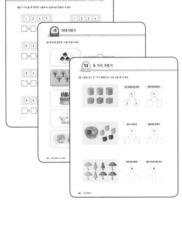

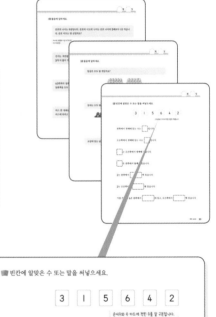

[체크 박스]
문제를 해결하는 데 도움이
되는 방향을 제시합니다.

[개념 포인트]
꼭 필요한 기본 개념을
설명합니다.

"교과연산은 꼬이고 꼬인 어려운 연산이 아닙니다.

일상 생활 속에서 상황을 판단하는 능력을 길러주는 연산입니다."

하루 **한** 장, 75일 집중 완성 교과연산 **묻고 답하기** Q & A

Q1 왜 교과연산인가요?

지금의 교과서는 과거의 교과서와는 많이 다릅니다. 하지만 아쉽게도 기존의 연산학습지는 과거의 연산 학습 방법을 그대로 답습하고 변화를 제대로 반영하지 못하고 있습니다. 교과연산은 교과서의 변화를 정확히 이해하고 체계적으로 학습을 할 수 있도록 안내합니다.

Q2 다른 연산 교재와 어떻게 다른가요?

교과연산은 변화된 교과서의 핵심 내용인 상황 판단 능력과 복합적 사고력을 길러주는 최신 연산 프로그램입니다. 또한 연산 학습의 바탕이 되는 '수'를 수특강으로 다루고 있어 수학의 기본이 되는 연산학습을 체계적으로 학습할 수 있습니다.

Q3 학교 진도와는 맞나요?

네, 교과연산은 학교 수업 진도와 최신 개정된 교과 단원에 맞추어 개발하였습니다.

Q4 단계 선택은 어떻게 해야 할까요?

권장 연령의 학습을 추천합니다.
다만, 처음 교과 연산을 시작하는 학생이라면 한 단계 낮추어 시작하는 것도 좋습니다.

Q5 '수특강'을 먼저 해야 하나요?

'수특강'을 가장 먼저 학습하는 것을 권장합니다. P단계를 예로 들어보면 P0(수특강)을 먼저 학습한 후 차례대로 P1~P3 학습을 진행합니다. '수특강'은 각 단계의 연산 원리와 개념을 정확하게 이해하고 상황 문제를 해결하는 데 디딤돌이 되어줄 것입니다.

이 책의 차례

덜어내어 계산하기

📘 빈칸에 알맞은 수를 써넣어 분수의 나눗셈을 해 보세요.

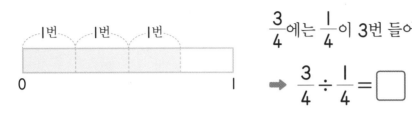

$\dfrac{3}{4}$에는 $\dfrac{1}{4}$이 **3**번 들어갑니다.

➡ $\dfrac{3}{4} \div \dfrac{1}{4} = \boxed{}$

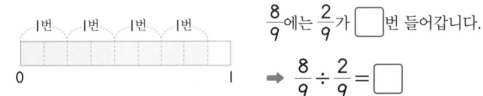

$\dfrac{8}{9}$에는 $\dfrac{2}{9}$가 $\boxed{}$번 들어갑니다.

➡ $\dfrac{8}{9} \div \dfrac{2}{9} = \boxed{}$

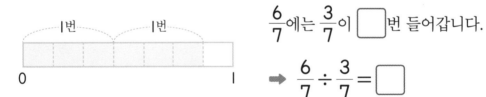

$\dfrac{6}{7}$에는 $\dfrac{3}{7}$이 $\boxed{}$번 들어갑니다.

➡ $\dfrac{6}{7} \div \dfrac{3}{7} = \boxed{}$

6에는 2가 3번 들어갑니다.

$6-2-2-2=0$

$6 \div 2 = 3$

$\dfrac{6}{7}$에는 $\dfrac{2}{7}$가 3번 들어갑니다.

$\dfrac{6}{7} - \dfrac{2}{7} - \dfrac{2}{7} - \dfrac{2}{7} = 0$

$\dfrac{6}{7} \div \dfrac{2}{7} = 3$

$\dfrac{5}{7}$에는 $\dfrac{3}{7}$ 1묶음과 1묶음의 $\dfrac{2}{3}$가 들어갑니다.

$\dfrac{5}{7} \div \dfrac{3}{7} = 1\dfrac{2}{3}$

📘 빈칸에 알맞은 수를 써넣어 분수의 나눗셈을 해 보세요.

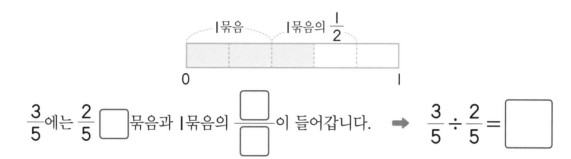

$\dfrac{3}{5}$에는 $\dfrac{2}{5}$ ▢ 묶음과 1묶음의 $\dfrac{▢}{▢}$ 이 들어갑니다. ➡ $\dfrac{3}{5} \div \dfrac{2}{5} =$ ▢

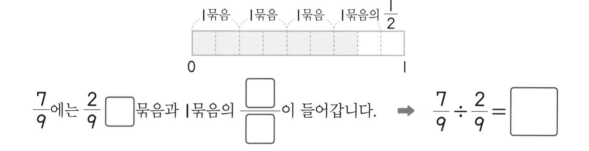

$\dfrac{7}{9}$에는 $\dfrac{2}{9}$ ▢ 묶음과 1묶음의 $\dfrac{▢}{▢}$ 이 들어갑니다. ➡ $\dfrac{7}{9} \div \dfrac{2}{9} =$ ▢

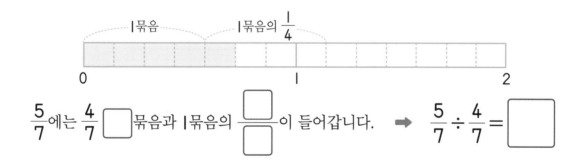

$\dfrac{5}{7}$에는 $\dfrac{4}{7}$ ▢ 묶음과 1묶음의 $\dfrac{▢}{▢}$ 이 들어갑니다. ➡ $\dfrac{5}{7} \div \dfrac{4}{7} =$ ▢

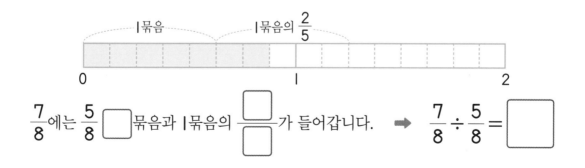

$\dfrac{7}{8}$에는 $\dfrac{5}{8}$ ▢ 묶음과 1묶음의 $\dfrac{▢}{▢}$ 가 들어갑니다. ➡ $\dfrac{7}{8} \div \dfrac{5}{8} =$ ▢

27일 자연수로 계산하기

📘 빈칸에 알맞은 수를 써넣어 분수의 나눗셈을 해 보세요.

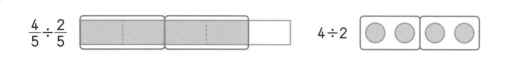

$\dfrac{4}{5} \div \dfrac{2}{5}$ $4 \div 2$

$\dfrac{4}{5}$ 는 $\dfrac{1}{5}$ 이 ☐ 개, $\dfrac{2}{5}$ 는 $\dfrac{1}{5}$ 이 ☐ 개이므로 $\dfrac{4}{5} \div \dfrac{2}{5}$ 는 $4 \div 2 =$ ☐ 입니다.

$\dfrac{5}{7} \div \dfrac{2}{7}$ $5 \div 2$

$\dfrac{5}{7}$ 는 $\dfrac{1}{7}$ 이 ☐ 개, $\dfrac{2}{7}$ 는 $\dfrac{1}{7}$ 이 ☐ 개이므로 $\dfrac{5}{7} \div \dfrac{2}{7}$ 는 $5 \div 2 = \dfrac{☐}{☐} =$ ☐ 입니다.

$\dfrac{4}{9} \div \dfrac{5}{9}$ $4 \div 5$

$\dfrac{4}{9}$ 는 $\dfrac{1}{9}$ 이 ☐ 개, $\dfrac{5}{9}$ 는 $\dfrac{1}{9}$ 이 ☐ 개이므로 $\dfrac{4}{9} \div \dfrac{5}{9}$ 는 $4 \div 5 = \dfrac{☐}{☐}$ 입니다.

★ 자연수와 나눗셈

$\dfrac{4}{7}$ 는 $\dfrac{1}{7}$ 이 4개, $\dfrac{3}{7}$ 은 $\dfrac{1}{7}$ 이 3개이므로 $\dfrac{4}{7} \div \dfrac{3}{7}$ 은 4를 3으로 나누는 것과 같습니다.

$\dfrac{\blacksquare}{\blacktriangle} \div \dfrac{\bullet}{\blacktriangle} = \blacksquare \div \bullet = \dfrac{\blacksquare}{\bullet}$

$\dfrac{4}{7} \div \dfrac{3}{7} = 4 \div 3 = \dfrac{4}{3} = 1\dfrac{1}{3}$

📘 빈칸에 알맞은 수를 써넣어 분수의 나눗셈을 해 보세요.

$\dfrac{5}{6} \div \dfrac{1}{6} = 5 \div 1 = \boxed{}$

$\dfrac{7}{9} \div \dfrac{1}{9} = \boxed{} \div \boxed{} = \boxed{}$

$\dfrac{9}{10} \div \dfrac{3}{10} = \boxed{} \div \boxed{} = \boxed{}$

$\dfrac{14}{15} \div \dfrac{2}{15} = \boxed{} \div \boxed{} = \boxed{}$

$\dfrac{8}{9} \div \dfrac{4}{9} = \boxed{} \div \boxed{} = \boxed{}$

$\dfrac{10}{13} \div \dfrac{5}{13} = \boxed{} \div \boxed{} = \boxed{}$

$\dfrac{3}{8} \div \dfrac{7}{8} = \boxed{} \div \boxed{} = \dfrac{\boxed{}}{\boxed{}}$

$\dfrac{4}{5} \div \dfrac{3}{5} = \boxed{} \div \boxed{} = \boxed{}$

$\dfrac{5}{9} \div \dfrac{8}{9} = \boxed{} \div \boxed{} = \dfrac{\boxed{}}{\boxed{}}$

$\dfrac{5}{7} \div \dfrac{4}{7} = \boxed{} \div \boxed{} = \boxed{}$

$\dfrac{3}{11} \div \dfrac{10}{11} = \boxed{} \div \boxed{} = \dfrac{\boxed{}}{\boxed{}}$

$\dfrac{11}{12} \div \dfrac{7}{12} = \boxed{} \div \boxed{} = \boxed{}$

관계있는 것끼리 이어 보세요.

$\dfrac{7}{8} \div \dfrac{1}{8}$ ·

$\dfrac{1}{8} \div \dfrac{5}{8}$ ·

$\dfrac{5}{8} \div \dfrac{7}{8}$ ·

· $1 \div 5$ ·

· $5 \div 7$ ·

· $7 \div 1$ ·

· $\dfrac{1}{5}$

· 7

· $\dfrac{5}{7}$

$\dfrac{9}{17} \div \dfrac{3}{17}$ ·

$\dfrac{9}{13} \div \dfrac{5}{13}$ ·

$\dfrac{5}{11} \div \dfrac{9}{11}$ ·

· $5 \div 9$ ·

· $9 \div 5$ ·

· $9 \div 3$ ·

· 3

· $\dfrac{5}{9}$

· $1\dfrac{4}{5}$

$\dfrac{11}{13} \div \dfrac{3}{13}$ ·

$\dfrac{3}{13} \div \dfrac{11}{13}$ ·

$\dfrac{11}{13} \div \dfrac{9}{13}$ ·

· $11 \div 9$ ·

· $11 \div 3$ ·

· $3 \div 11$ ·

· $\dfrac{3}{11}$

· $3\dfrac{2}{3}$

· $1\dfrac{2}{9}$

■ 계산을 하세요.

$$\frac{2}{3} \div \frac{1}{3}$$

$$\frac{3}{5} \div \frac{1}{5}$$

$$\frac{9}{10} \div \frac{1}{10}$$

$$\frac{7}{13} \div \frac{1}{13}$$

$$\frac{4}{7} \div \frac{2}{7}$$

$$\frac{9}{14} \div \frac{3}{14}$$

$$\frac{8}{15} \div \frac{4}{15}$$

$$\frac{10}{11} \div \frac{2}{11}$$

$$\frac{8}{9} \div \frac{5}{9}$$

$$\frac{6}{7} \div \frac{5}{7}$$

$$\frac{9}{10} \div \frac{7}{10}$$

$$\frac{7}{13} \div \frac{12}{13}$$

$$\frac{1}{7} \div \frac{4}{7}$$

$$\frac{5}{12} \div \frac{11}{12}$$

계산 결과 비교하기

계산 결과가 다른 식을 찾아 ○표 하세요.

$$\frac{5}{8} \div \frac{1}{8} \qquad \frac{7}{8} \div \frac{2}{8} \qquad \frac{5}{6} \div \frac{1}{6} \qquad \frac{5}{9} \div \frac{1}{9}$$

$$\frac{4}{5} \div \frac{2}{5} \qquad \frac{8}{9} \div \frac{4}{9} \qquad \frac{6}{11} \div \frac{3}{11} \qquad \frac{4}{7} \div \frac{1}{7}$$

$$\frac{3}{5} \div \frac{2}{5} \qquad \frac{3}{7} \div \frac{2}{7} \qquad \frac{4}{5} \div \frac{3}{5} \qquad \frac{3}{13} \div \frac{2}{13}$$

$$\frac{4}{9} \div \frac{8}{9} \qquad \frac{1}{7} \div \frac{2}{7} \qquad \frac{5}{13} \div \frac{10}{13} \qquad \frac{3}{10} \div \frac{9}{10}$$

$$\frac{12}{13} \div \frac{10}{13} \qquad \frac{3}{5} \div \frac{2}{5} \qquad \frac{6}{7} \div \frac{4}{7} \qquad \frac{9}{11} \div \frac{6}{11}$$

나눗셈의 몫을 구해 보세요.

$\dfrac{7}{8}$ $\dfrac{1}{8}$

큰 수를 작은 수로 나눈 몫 (   )

작은 수를 큰 수로 나눈 몫 (   )

$\dfrac{2}{9}$ $\dfrac{8}{9}$

큰 수를 작은 수로 나눈 몫 (   )

작은 수를 큰 수로 나눈 몫 (   )

$\dfrac{7}{10}$ $\dfrac{3}{10}$

큰 수를 작은 수로 나눈 몫 (   )

작은 수를 큰 수로 나눈 몫 (   )

$\dfrac{5}{7}$ $\dfrac{6}{7}$

큰 수를 작은 수로 나눈 몫 (   )

작은 수를 큰 수로 나눈 몫 (   )

$\dfrac{12}{13}$ $\dfrac{4}{13}$

큰 수를 작은 수로 나눈 몫 (   )

작은 수를 큰 수로 나눈 몫 (   )

📖 그림에 알맞은 진분수끼리의 나눗셈식을 만들고 답을 구해 보세요.

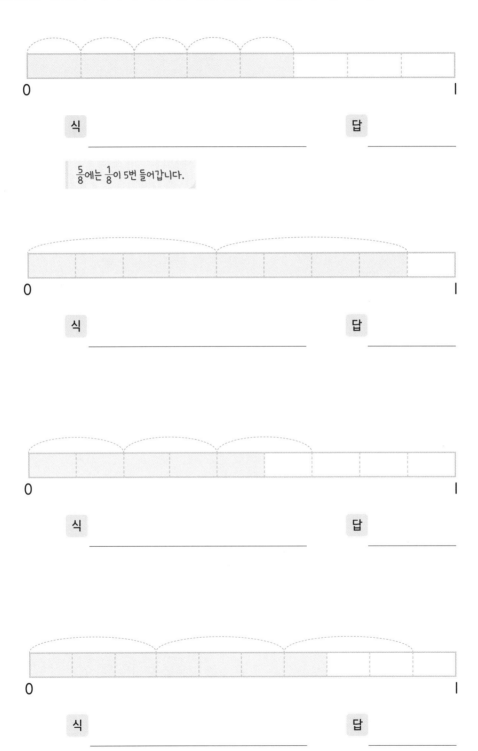

식 _____ 답 _____

$\dfrac{5}{8}$에는 $\dfrac{1}{8}$이 5번 들어갑니다.

식 _____ 답 _____

식 _____ 답 _____

식 _____ 답 _____

■ 진분수끼리의 나눗셈식으로 나타내고 답을 구해 보세요.

우유 $\frac{9}{10}$L를 한 컵에 $\frac{3}{10}$L씩 똑같이 나누어 담으려고 합니다. 몇 개의 컵에 나누어 담을 수 있을까요?

식 _____   답 _____ 개

소금 $\frac{5}{6}$kg이 있습니다. 이 소금을 $\frac{1}{6}$kg이 가득 차는 병에 나누어 담으려고 합니다. 몇 개의 병에 가득 채울 수 있을까요?

식 _____   답 _____ 개

지민이는 찰흙을 $\frac{8}{9}$kg, 현우는 $\frac{7}{9}$kg 가지고 있습니다. 지민이가 가진 찰흙 무게는 현우가 가진 찰흙 무게의 몇 배일까요?

8은 2의 몇 배인지 구하려면 8÷2=4(배)   식 _____   답 _____ 배

연아는 1분에 $\frac{2}{11}$km를 달립니다. 같은 빠르기로 $\frac{9}{11}$km를 달리는 데 걸리는 시간은 몇 분일까요?

$\frac{9}{11}$에는 $\frac{2}{11}$가 몇 번 들어가는지 구합니다.   식 _____   답 _____ 분

조건을 만족하는 진분수끼리의 나눗셈식을 써 보세요.

- 4÷3을 이용하여 계산할 수 있습니다.
- 분모가 6보다 작은 진분수의 나눗셈입니다.
- 두 분수의 분모는 같습니다.

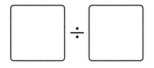

- 5÷6을 이용하여 계산할 수 있습니다.
- 분모가 8보다 작은 진분수의 나눗셈입니다.
- 두 분수의 분모는 같습니다.

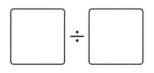

- 7÷1을 이용하여 계산할 수 있습니다.
- 분모가 10보다 작은 진분수의 나눗셈입니다.
- 두 분수의 분모는 같습니다.

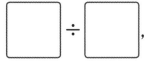
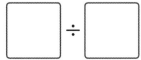

- 9÷7을 이용하여 계산할 수 있습니다.
- 분모가 12보다 작은 진분수의 나눗셈입니다.
- 두 분수의 분모는 같습니다.

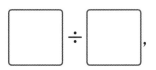
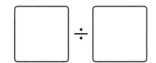

통분하여 계산하기 (1)

📘 다음과 같이 통분하여 분자끼리 나누는 방법으로 분수의 나눗셈을 계산해 보세요.

$$\frac{3}{5} \div \frac{3}{10} = \frac{6}{10} \div \frac{3}{10} = 6 \div 3 = 2$$

10을 공통분모로 하여 통분합니다.

$$\frac{1}{3} \div \frac{1}{9} = \frac{\boxed{}}{9} \div \frac{1}{9} = \boxed{} \div 1 = \boxed{}$$

$$\frac{3}{4} \div \frac{1}{12} = \frac{\boxed{}}{12} \div \frac{1}{12} = \boxed{} \div \boxed{} = \boxed{}$$

$$\frac{5}{7} \div \frac{5}{14} = \frac{\boxed{}}{14} \div \frac{5}{14} = \boxed{} \div \boxed{} = \boxed{}$$

$$\frac{1}{4} \div \frac{1}{8}$$

$$\frac{4}{5} \div \frac{4}{15}$$

■ 계산해 보세요.

$\dfrac{1}{3} \div \dfrac{1}{6}$

$\dfrac{1}{2} \div \dfrac{1}{8}$

$\dfrac{1}{6} \div \dfrac{1}{18}$

$\dfrac{1}{9} \div \dfrac{1}{18}$

$\dfrac{3}{4} \div \dfrac{1}{8}$

$\dfrac{2}{5} \div \dfrac{1}{15}$

$\dfrac{5}{8} \div \dfrac{1}{16}$

$\dfrac{2}{3} \div \dfrac{1}{12}$

$\dfrac{2}{3} \div \dfrac{2}{9}$

$\dfrac{3}{4} \div \dfrac{3}{8}$

$\dfrac{3}{4} \div \dfrac{3}{16}$

$\dfrac{2}{3} \div \dfrac{2}{15}$

$\dfrac{4}{5} \div \dfrac{3}{15}$

$\dfrac{6}{7} \div \dfrac{4}{14}$

통분하여 계산하기 (2)

다음과 같이 통분하여 분자끼리 나누는 방법으로 분수의 나눗셈을 계산해 보세요.

$$\frac{3}{4} \div \frac{2}{3} = \frac{9}{12} \div \frac{8}{12} = 9 \div 8 = \frac{9}{8} = 1\frac{1}{8}$$

4와 3의 최소공배수인 12를 공통분모로 하여 통분합니다.

$$\frac{9}{10} \div \frac{2}{5} = \frac{9}{10} \div \frac{\square}{10} = 9 \div \square = \frac{\square}{4} = \square$$

$$\frac{4}{5} \div \frac{1}{7} = \frac{\square}{35} \div \frac{\square}{35} = \square \div \square = \frac{\square}{\square} = \square$$

$$\frac{3}{4} \div \frac{5}{6} = \frac{\square}{12} \div \frac{\square}{12} = \square \div \square = \frac{\square}{\square}$$

$$\frac{2}{3} \div \frac{5}{12}$$

$$\frac{1}{4} \div \frac{3}{5}$$

■ 계산해 보세요.

$$\frac{5}{9} \div \frac{1}{3}$$

$$\frac{7}{8} \div \frac{3}{4}$$

$$\frac{1}{2} \div \frac{7}{10}$$

$$\frac{13}{15} \div \frac{2}{3}$$

$$\frac{7}{12} \div \frac{5}{6}$$

$$\frac{2}{5} \div \frac{11}{15}$$

$$\frac{1}{2} \div \frac{1}{3}$$

$$\frac{1}{5} \div \frac{2}{3}$$

$$\frac{2}{3} \div \frac{3}{4}$$

$$\frac{5}{7} \div \frac{3}{4}$$

$$\frac{3}{4} \div \frac{1}{6}$$

$$\frac{5}{6} \div \frac{3}{8}$$

$$\frac{2}{9} \div \frac{5}{6}$$

$$\frac{7}{8} \div \frac{5}{12}$$

33 분수의 나눗셈

■ 빈칸에 알맞은 수를 써넣으세요.

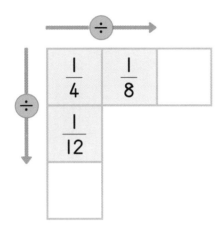

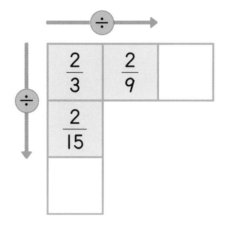

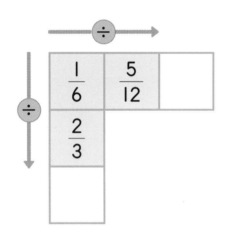

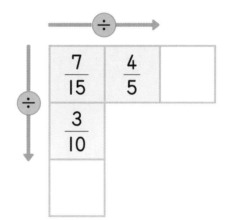

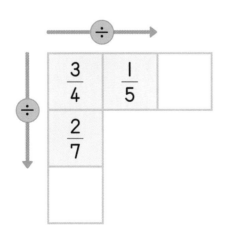

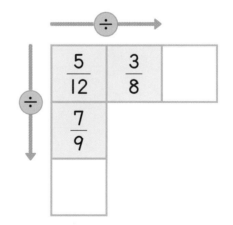

빈 곳에 알맞은 수를 써넣으세요.

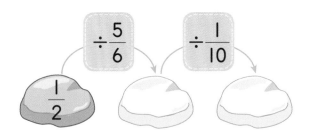

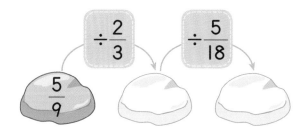

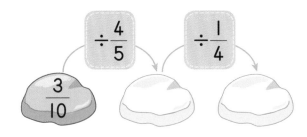

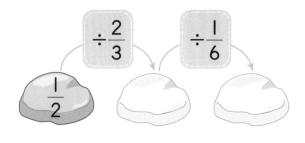

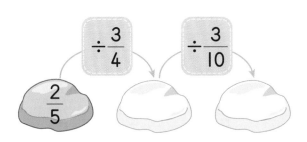

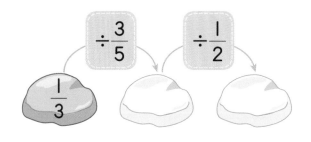

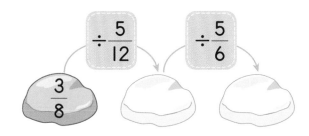

🔲 몫이 1보다 작은 식에 모두 ○표 하세요.

$$\frac{3}{5} \div \frac{3}{10} \qquad \frac{1}{6} \div \frac{1}{2} \qquad \frac{2}{3} \div \frac{2}{9} \qquad \frac{5}{12} \div \frac{5}{6}$$

$$\frac{1}{2} \div \frac{3}{4} \qquad \frac{5}{6} \div \frac{2}{3} \qquad \frac{8}{15} \div \frac{3}{5} \qquad \frac{3}{4} \div \frac{7}{12}$$

$$\frac{2}{3} \div \frac{1}{4} \qquad \frac{3}{7} \div \frac{1}{2} \qquad \frac{3}{5} \div \frac{2}{3} \qquad \frac{7}{8} \div \frac{3}{5}$$

$$\frac{3}{4} \div \frac{5}{7} \qquad \frac{5}{8} \div \frac{1}{3} \qquad \frac{1}{2} \div \frac{5}{9} \qquad \frac{4}{5} \div \frac{5}{6}$$

$$\frac{3}{4} \div \frac{5}{6} \qquad \frac{8}{9} \div \frac{5}{6} \qquad \frac{3}{4} \div \frac{7}{10} \qquad \frac{7}{8} \div \frac{11}{12}$$

나눗셈의 몫을 구해 보세요.

$\dfrac{1}{3}$ $\dfrac{1}{6}$

큰 수를 작은 수로 나눈 몫 (   )

작은 수를 큰 수로 나눈 몫 (   )

$\dfrac{2}{15}$ $\dfrac{2}{5}$

큰 수를 작은 수로 나눈 몫 (   )

작은 수를 큰 수로 나눈 몫 (   )

$\dfrac{4}{7}$ $\dfrac{1}{3}$

큰 수를 작은 수로 나눈 몫 (   )

작은 수를 큰 수로 나눈 몫 (   )

$\dfrac{3}{4}$ $\dfrac{2}{5}$

큰 수를 작은 수로 나눈 몫 (   )

작은 수를 큰 수로 나눈 몫 (   )

$\dfrac{7}{8}$ $\dfrac{5}{6}$

큰 수를 작은 수로 나눈 몫 (   )

작은 수를 큰 수로 나눈 몫 (   )

이야기하기

진분수끼리의 나눗셈식으로 나타내고 답을 구해 보세요.

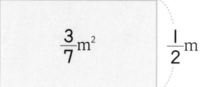

넓이가 $\frac{3}{7}$m², 세로가 $\frac{1}{2}$m인 직사각형의 가로는 몇 m일까요?

(가로)×(세로)=(넓이)
→ (넓이)÷(세로)=(가로)

$\frac{3}{7}$m² $\frac{1}{2}$m

식 _____   답 _____ m

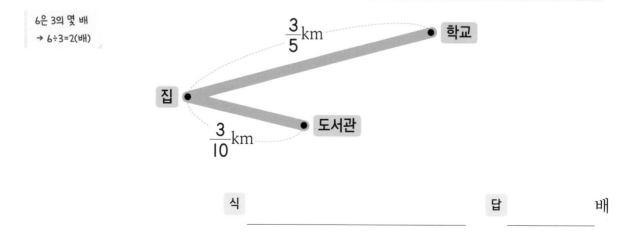

집에서 학교까지의 거리는 $\frac{3}{5}$km, 집에서 도서관까지의 거리는 $\frac{3}{10}$km입니다.
집에서 학교까지의 거리는 집에서 도서관까지 거리의 몇 배일까요?

6은 3의 몇 배
→ 6÷3=2(배)

$\frac{3}{5}$km   학교

집

$\frac{3}{10}$km   도서관

식 _____   답 _____ 배

■ 진분수끼리의 나눗셈식으로 나타내고 답을 구해 보세요.

승기는 1분에 $\frac{1}{6}$km를 달립니다. 같은 빠르기로 $\frac{7}{12}$km를 달리려면 몇 분 걸릴까요?

$\frac{7}{12}$에는 $\frac{1}{6}$이 몇 번 들어가는지 구합니다.

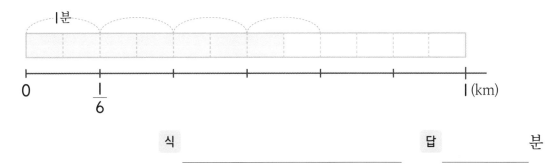

식 _____ 답 _____ 분

비가 온 후 지렁이가 $\frac{1}{9}$m를 기어가는 데 $\frac{1}{3}$분이 걸렸습니다. 같은 빠르기로 1분 동안 기어갈 수 있는 거리는 몇 m일까요?

$\frac{1}{9}$m를 가는 데 3분이 걸렸다면 1분에는 $\frac{1}{9} \div 3$(m)를 갑니다.

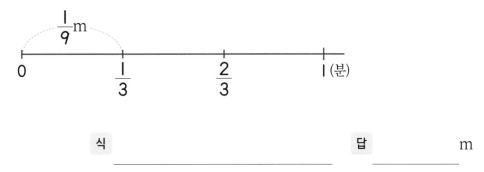

식 _____ 답 _____ m

진분수끼리의 나눗셈식으로 나타내고 답을 구해 보세요.

넓이가 $\frac{5}{12}$ m²이고, 가로가 $\frac{4}{9}$ m인 직사각형의 세로는 몇 m일까요?

식 _____ 답 _____ m

물 $\frac{3}{5}$ L에 매실액 $\frac{2}{15}$ L를 섞어 매실 주스를 만들었습니다. 매실 주스에서 물의 양은 매실액 양의 몇 배일까요?

식 _____ 답 _____ 배

달팽이가 1분 동안 $\frac{1}{8}$ m를 기어갑니다. 같은 빠르기로 $\frac{3}{4}$ m를 기어가려면 몇 분이 걸릴까요?

식 _____ 답 _____ 분

민아가 자전거를 타고 $\frac{5}{6}$ km를 가는 데 $\frac{1}{10}$ 시간이 걸립니다. 같은 빠르기로 1시간 동안 갈 수 있는 거리는 몇 km일까요?

식 _____ 답 _____ km

3주차 자연수에서 나누기

📘 빈칸에 알맞은 수를 써넣으세요.

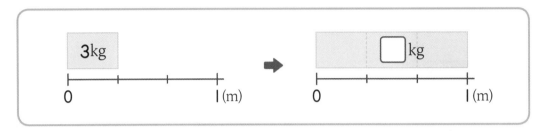

막대 $\dfrac{1}{3}$m의 무게가 3kg이라면 막대 1m는 $3 \div \dfrac{1}{3} = \boxed{}$(kg)입니다.

막대 $\dfrac{1}{3}$m의 무게가 3kg이라면 막대 1m는 $3 \times 3 = \boxed{}$(kg)입니다.

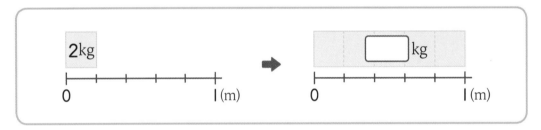

막대 $\dfrac{1}{5}$m의 무게가 2kg이라면 막대 1m는 $2 \div \dfrac{1}{5} = \boxed{}$(kg)입니다.

막대 $\dfrac{1}{5}$m의 무게가 2kg이라면 막대 1m는 $2 \times 5 = \boxed{}$(kg)입니다.

★ (자연수)÷(단위분수)

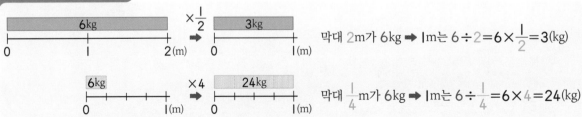

막대 2m가 6kg ➡ 1m는 $6 \div 2 = 6 \times \dfrac{1}{2} = 3$(kg)

막대 $\dfrac{1}{4}$m가 6kg ➡ 1m는 $6 \div \dfrac{1}{4} = 6 \times 4 = 24$(kg)

다음과 같이 분수의 나눗셈을 자연수의 곱셈으로 바꾸어 계산해 보세요.

$$6 \div \frac{1}{3} = 6 \times 3 = 18$$

$$1 \div \frac{1}{5} = 1 \times \boxed{} = \boxed{}$$

$$2 \div \frac{1}{4} = 2 \times \boxed{} = \boxed{}$$

$$10 \div \frac{1}{3} = 10 \times \boxed{} = \boxed{}$$

$$5 \div \frac{1}{6}$$

$$5 \div \frac{1}{5}$$

$$12 \div \frac{1}{2}$$

$$7 \div \frac{1}{4}$$

$$8 \div \frac{1}{7}$$

$$15 \div \frac{1}{3}$$

📘 빈칸에 알맞은 수를 써넣으세요.

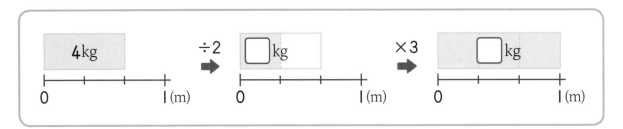

막대 $\frac{2}{3}$m의 무게가 4kg이라면 막대 1m는 $4 \div \frac{2}{3} = \boxed{}$(kg)입니다.

막대 $\frac{2}{3}$m의 무게가 4kg이라면 막대 1m는 $(4 \div 2) \times 3 = \boxed{}$(kg)입니다.

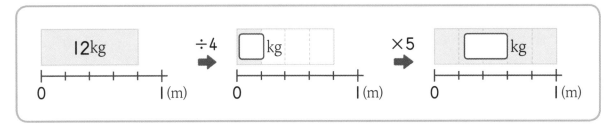

막대 $\frac{4}{5}$m의 무게가 12kg이라면 막대 1m는 $12 \div \frac{4}{5} = \boxed{}$(kg)입니다.

막대 $\frac{4}{5}$m의 무게가 12kg이라면 막대 1m는 $(12 \div 4) \times 5 = \boxed{}$(kg)입니다.

★ (자연수)÷(진분수)

막대 $\frac{3}{4}$m가 6kg ➡ 1m는 $6 \div \frac{3}{4} = (6 \div 3) \times 4 = 8$(kg)

📖 다음과 같이 분수의 나눗셈을 자연수의 나눗셈과 곱셈으로 바꾸어 계산해 보세요.

$8 \div \dfrac{2}{3} = (8 \div 2) \times 3 = 12$

$4 \div \dfrac{4}{5} = (4 \div \boxed{}) \times \boxed{} = \boxed{}$

$9 \div \dfrac{3}{7} = (9 \div \boxed{}) \times \boxed{} = \boxed{}$

$10 \div \dfrac{5}{6} = (10 \div \boxed{}) \times \boxed{} = \boxed{}$

$3 \div \dfrac{3}{4}$

$8 \div \dfrac{4}{9}$

$12 \div \dfrac{4}{5}$

$6 \div \dfrac{3}{5}$

$15 \div \dfrac{3}{7}$

$14 \div \dfrac{7}{8}$

분수의 나눗셈

관계있는 것끼리 이어 보세요.

$5 \div \dfrac{1}{6}$ ·

$5 \div \dfrac{1}{7}$ ·

$7 \div \dfrac{1}{6}$ ·

· 7×6 ·

· 5×6 ·

· 5×7 ·

· 30

· 42

· 35

$4 \div \dfrac{2}{3}$ ·

$6 \div \dfrac{3}{4}$ ·

$8 \div \dfrac{4}{9}$ ·

· $(6 \div 3) \times 4$ ·

· $(8 \div 4) \times 9$ ·

· $(4 \div 2) \times 3$ ·

· 6

· 18

· 8

$15 \div \dfrac{3}{8}$ ·

$15 \div \dfrac{5}{8}$ ·

$15 \div \dfrac{3}{4}$ ·

· $(15 \div 3) \times 4$ ·

· $(15 \div 3) \times 8$ ·

· $(15 \div 5) \times 8$ ·

· 24

· 20

· 40

■ 자연수를 분수로 나눈 몫을 구해 보세요.

3 $\dfrac{1}{6}$

(   )

5 $\dfrac{5}{7}$

(   )

$\dfrac{4}{5}$ 8

(   )

$\dfrac{3}{8}$ 9

(   )

18 $\dfrac{3}{7}$

(   )

15 $\dfrac{5}{9}$

(   )

$\dfrac{2}{5}$ 10

(   )

$\dfrac{6}{7}$ 12

(   )

계산 결과 비교하기

🪨 계산 결과가 같은 식 2개에 각각 ○표 하세요.

$$4 \div \frac{1}{6} \qquad 2 \div \frac{1}{3} \qquad 6 \div \frac{1}{4} \qquad 12 \div \frac{1}{8}$$

$$3 \div \frac{1}{9} \qquad 6 \div \frac{1}{9} \qquad 9 \div \frac{1}{6} \qquad 6 \div \frac{1}{3}$$

$$8 \div \frac{2}{9} \qquad 6 \div \frac{2}{5} \qquad 4 \div \frac{2}{7} \qquad 10 \div \frac{2}{3}$$

$$5 \div \frac{5}{7} \qquad 4 \div \frac{4}{5} \qquad 7 \div \frac{7}{8} \qquad 3 \div \frac{3}{8}$$

$$10 \div \frac{5}{6} \qquad 8 \div \frac{4}{5} \qquad 10 \div \frac{2}{5} \qquad 8 \div \frac{2}{3}$$

■ 계산 결과가 큰 것부터 순서대로 기호를 써 보세요.

$\bigcirc\ 5 \div \dfrac{1}{4}$　　$\bigcirc\ 5 \div \dfrac{1}{6}$　　$\bigcirc\ 5 \div \dfrac{1}{3}$

(　　　　,　　　　,　　　　)

$\bigcirc\ 4 \div \dfrac{4}{9}$　　$\bigcirc\ 8 \div \dfrac{4}{7}$　　$\bigcirc\ 12 \div \dfrac{4}{5}$

(　　　　,　　　　,　　　　)

$\bigcirc\ 7 \div \dfrac{7}{9}$　　$\bigcirc\ 3 \div \dfrac{3}{8}$　　$\bigcirc\ 5 \div \dfrac{5}{6}$

(　　　　,　　　　,　　　　)

$\bigcirc\ 4 \div \dfrac{2}{9}$　　$\bigcirc\ 9 \div \dfrac{3}{4}$　　$\bigcirc\ 10 \div \dfrac{5}{8}$

(　　　　,　　　　,　　　　)

$\bigcirc\ 14 \div \dfrac{7}{9}$　　$\bigcirc\ 15 \div \dfrac{3}{7}$　　$\bigcirc\ 12 \div \dfrac{3}{5}$

(　　　　,　　　　,　　　　)

📘 나눗셈식으로 나타내고 답을 구해 보세요.

길이가 4m인 끈을 $\frac{2}{5}$m씩 똑같이 잘라 학생들에게 하나씩 나누어 주려고 합니다. 학생 몇 명에게 나누어 줄 수 있을까요?

> 4에는 $\frac{2}{5}$가 몇 번 들어가는지 구합니다.

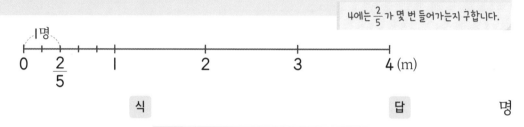

식 _____   답 _____ 명

리본 한 개를 만드는 데 끈 $\frac{3}{4}$m가 필요합니다. 끈 6m로 만들 수 있는 리본은 몇 개일까요?

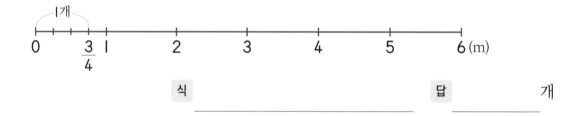

식 _____   답 _____ 개

메론 $\frac{2}{3}$통의 무게가 2kg입니다. 메론 1통의 무게는 몇 kg일까요?

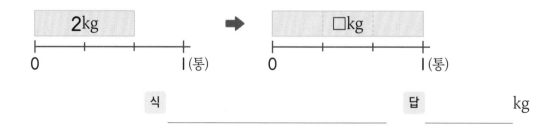

식 _____   답 _____ kg

■ 나눗셈식으로 나타내고 답을 구해 보세요.

물 9L를 $\frac{3}{4}$L가 가득 차는 병에 나누어 담으려고 합니다. 물을 몇 병에 가득 채울 수 있을까요?

식 _____ 답 _____ 병

쌀 6kg이 있습니다. 준호네 가족이 쌀을 매일 $\frac{2}{9}$kg씩 먹는다면 며칠 동안 먹을 수 있을까요?

식 _____ 답 _____ 일

마당에 있는 나무의 높이는 4m, 강아지풀의 길이가 $\frac{2}{5}$m입니다. 나무의 높이는 강아지풀 길이의 몇 배일까요?

식 _____ 답 _____ 배

냉장고에 생수가 10L, 우유가 $\frac{5}{7}$L 있습니다. 냉장고에 있는 생수의 양은 우유 양의 몇 배일까요?

식 _____ 답 _____ 배

나눗셈식으로 나타내고 답을 구해 보세요.

승희가 종이배 1개를 접는 데 $\frac{5}{6}$분이 걸립니다. 같은 빠르기로 종이배를 10분 동안 접는다면 종이배를 몇 개 접을까요?

식 _____ 답 _____ 개

설탕 $\frac{2}{3}$g을 1원에 살 수 있습니다. 설탕 300g을 사려면 얼마가 필요할까요?

식 _____ 답 _____ 원

지민이가 종이학 12개를 접는 데 $\frac{2}{3}$시간이 걸렸습니다. 같은 빠르기로 종이학을 접는다면 1시간 동안 접을 수 있는 종이학은 몇 개일까요?

식 _____ 답 _____ 개

1500원으로 설탕 $\frac{3}{8}$kg을 살 수 있습니다. 설탕 1kg을 사려면 얼마가 필요할까요?

식 _____ 답 _____ 원

4주차 분수에서 나누기

곱셈으로 계산하기 (1)

🔖 빈칸에 알맞은 수를 써넣으세요.

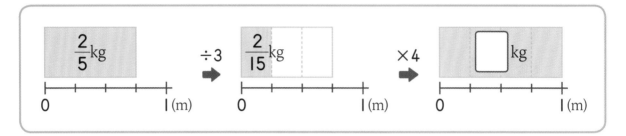

$$\frac{2}{5} \div \frac{3}{4} = \frac{2}{5} \times \frac{1}{\boxed{}} \times \boxed{} = \frac{2}{5} \times \frac{4}{3} = \frac{\boxed{}}{\boxed{}}$$

÷3은 ×$\frac{1}{3}$로 나타낼 수 있습니다.

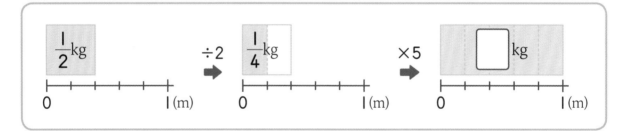

$$\frac{1}{2} \div \frac{2}{5} = \frac{1}{2} \times \frac{1}{\boxed{}} \times \boxed{} = \frac{1}{2} \times \frac{\boxed{}}{\boxed{}} = \frac{\boxed{}}{\boxed{}} = \boxed{}$$

⭐ (진분수)÷(진분수)

막대 $\frac{2}{3}$ m가 $\frac{3}{4}$ kg ➡ 1m는 $\frac{3}{4} \div \frac{2}{3} = \left(\frac{3}{4} \div 2\right) \times 3 = \frac{3}{4} \times \frac{1}{2} \times 3 = \frac{3}{4} \times \frac{3}{2} = \frac{9}{8} = 1\frac{1}{8}$ (kg)

다음과 같이 진분수의 나눗셈을 곱셈으로 바꾸어 계산해 보세요.

$$\frac{2}{3} \div \frac{5}{9} = \frac{2}{\cancel{3}_1} \times \frac{\cancel{9}^3}{5} = \frac{6}{5} = 1\frac{1}{5}$$

$$\frac{3}{5} \div \frac{1}{4} = \frac{3}{5} \times \boxed{} = \frac{\boxed{}}{\boxed{}} = \boxed{}$$

$$\frac{2}{5} \div \frac{6}{7} = \frac{2}{5} \times \frac{\boxed{}}{\boxed{}} = \frac{\boxed{}}{\boxed{}}$$

$$\frac{5}{7} \div \frac{2}{3} = \frac{5}{7} \times \frac{\boxed{}}{\boxed{}} = \frac{\boxed{}}{\boxed{}} = \boxed{}$$

$$\frac{1}{7} \div \frac{1}{3}$$

$$\frac{5}{6} \div \frac{3}{5}$$

$$\frac{6}{7} \div \frac{8}{9}$$

$$\frac{8}{9} \div \frac{4}{5}$$

★ (분수)÷(분수)

(분수)÷(분수)에서 나눗셈을 곱셈으로 나타내고 나누는 수의 분모와 분자를 서로 바꾸어 (분수)×(분수)로 계산할 수 있습니다.

$$\frac{\blacksquare}{\blacktriangle} \div \frac{\bullet}{\bigstar} = \frac{\blacksquare}{\blacktriangle} \times \frac{\bigstar}{\bullet}$$

$$\frac{\blacksquare}{\blacktriangle} \div \frac{\bullet}{\bigstar} = \left(\frac{\blacksquare}{\blacktriangle} \div \bullet\right) \times \bigstar = \frac{\blacksquare}{\blacktriangle} \times \frac{1}{\bullet} \times \bigstar = \frac{\blacksquare}{\blacktriangle} \times \frac{\bigstar}{\bullet}$$

곱셈으로 계산하기 (2)

다음과 같이 가분수의 나눗셈을 곱셈으로 바꾸어 계산해 보세요.

$$\frac{9}{8} \div \frac{5}{6} = \frac{9}{\overset{}{\underset{4}{8}}} \times \frac{\overset{3}{6}}{5} = \frac{27}{20} = 1\frac{7}{20}$$

$$\frac{12}{7} \div \frac{4}{9} = \frac{12}{7} \times \frac{\Box}{\Box} = \frac{\Box}{\Box} = \Box$$

$$\frac{8}{5} \div \frac{5}{6} = \frac{8}{5} \times \frac{\Box}{\Box} = \frac{\Box}{\Box} = \Box$$

$$\frac{4}{3} \div \frac{5}{7}$$

$$\frac{7}{2} \div \frac{4}{5}$$

$$\frac{9}{7} \div \frac{2}{7}$$

$$\frac{8}{3} \div \frac{5}{8}$$

$$\frac{7}{6} \div \frac{3}{4}$$

$$\frac{13}{9} \div \frac{2}{3}$$

📖 다음과 같이 대분수의 나눗셈을 곱셈으로 바꾸어 계산해 보세요.

$$2\frac{1}{3} \div \frac{2}{3} = \frac{7}{3} \div \frac{2}{3} = \frac{7}{\cancel{3}} \times \frac{\cancel{3}}{2} = \frac{7}{2} = 3\frac{1}{2}$$

$$1\frac{4}{5} \div \frac{2}{9} = \frac{\square}{5} \div \frac{2}{9} = \frac{\square}{5} \times \frac{\square}{\square} = \frac{\square}{\square} = \square$$

$$4\frac{3}{4} \div \frac{5}{8} = \frac{\square}{4} \div \frac{5}{8} = \frac{\square}{4} \times \frac{\square}{\square} = \frac{\square}{\square} = \square$$

$$1\frac{2}{7} \div \frac{2}{5}$$

$$2\frac{5}{6} \div \frac{4}{9}$$

$$3\frac{1}{5} \div \frac{4}{7}$$

43 분수의 나눗셈

🟦 관계있는 것끼리 이어 보세요.

$$\frac{5}{6} \div \frac{3}{4}$$ ·

$$\frac{3}{4} \div \frac{5}{6}$$ ·

$$\frac{5}{6} \div \frac{1}{4}$$ ·

· $$\frac{3}{4} \times \frac{6}{5}$$ ·

· $$\frac{5}{6} \times 4$$ ·

· $$\frac{5}{6} \times \frac{4}{3}$$ ·

· $$1\frac{1}{9}$$

· $$3\frac{1}{3}$$

· $$\frac{9}{10}$$

$$\frac{5}{4} \div \frac{4}{5}$$ ·

$$\frac{4}{5} \div \frac{4}{5}$$ ·

$$\frac{5}{4} \div \frac{1}{5}$$ ·

· $$\frac{5}{4} \times 5$$ ·

· $$\frac{5}{4} \times \frac{5}{4}$$ ·

· $$\frac{4}{5} \times \frac{5}{4}$$ ·

· $$6\frac{1}{4}$$

· $$1$$

· $$1\frac{9}{16}$$

$$2\frac{1}{4} \div \frac{2}{3}$$ ·

$$1\frac{5}{6} \div \frac{3}{4}$$ ·

$$1\frac{3}{4} \div \frac{2}{3}$$ ·

· $$\frac{7}{4} \times \frac{3}{2}$$ ·

· $$\frac{11}{6} \times \frac{4}{3}$$ ·

· $$\frac{9}{4} \times \frac{3}{2}$$ ·

· $$2\frac{4}{9}$$

· $$2\frac{5}{8}$$

· $$3\frac{3}{8}$$

■ 계산을 하세요.

$$\frac{7}{8} \div \frac{1}{8}$$

$$\frac{4}{5} \div \frac{5}{6}$$

$$\frac{5}{9} \div \frac{2}{3}$$

$$\frac{6}{7} \div \frac{3}{8}$$

$$\frac{8}{3} \div \frac{3}{5}$$

$$\frac{9}{7} \div \frac{5}{7}$$

$$\frac{16}{5} \div \frac{4}{9}$$

$$\frac{15}{8} \div \frac{3}{5}$$

$$1\frac{1}{4} \div \frac{2}{3}$$

$$3\frac{1}{3} \div \frac{5}{8}$$

$$4\frac{2}{3} \div \frac{5}{7}$$

$$2\frac{4}{5} \div \frac{7}{8}$$

$$5\frac{1}{2} \div \frac{1}{3}$$

$$2\frac{4}{7} \div \frac{3}{4}$$

📋 나눗셈식으로 나타내고 답을 구해 보세요.

넓이가 $\frac{7}{10}$ m²인 직사각형이 있습니다. 세로가 $\frac{2}{5}$ m라면 가로는 몇 m일까요?

$\frac{7}{10}$m² $\frac{2}{5}$m

식 _____

답 _____ m

넓이가 $\frac{9}{4}$ cm²인 평행사변형의 높이가 $\frac{11}{12}$ cm입니다. 밑변의 길이는 몇 cm일까요?

$\frac{9}{4}$cm² $\frac{11}{12}$cm

식 _____

답 _____ cm

평행사변형의 넓이가 $2\frac{1}{6}$ cm², 밑면의 길이가 $\frac{5}{6}$ cm입니다. 높이는 몇 cm일까요?

$2\frac{1}{6}$cm²

$\frac{5}{6}$cm

식 _____

답 _____ cm

■ 나눗셈식으로 나타내고 답을 구해 보세요.

승호는 $\frac{3}{4}$분 동안 $\frac{1}{16}$km를 걷습니다. 같은 빠르기로 1분 동안 몇 km를 걸을까요?

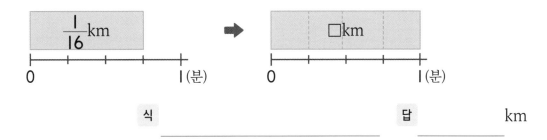

식 _____ 답 _____ km

페인트 $\frac{2}{3}$통으로 벽 $\frac{5}{3}$m²를 칠할 수 있습니다. 페인트 1통으로는 몇 m²를 칠할까요?

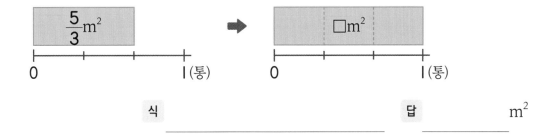

식 _____ 답 _____ m²

휘발유 $\frac{3}{5}$L로 $5\frac{1}{4}$km를 가는 트럭이 있습니다. 휘발유 1L로는 몇 km를 갈까요?

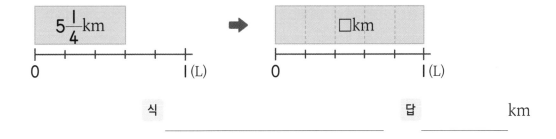

식 _____ 답 _____ km

나눗셈식으로 나타내고 답을 구해 보세요.

주스 $\dfrac{16}{5}$ L가 있습니다. 매일 주스를 $\dfrac{1}{10}$ L씩 마신다면 며칠 동안 마실 수 있을까요?

식 _____   답 _____ 일

찰흙이 $7\dfrac{1}{3}$ kg 있습니다. 이 찰흙을 학생 한 명에게 $\dfrac{2}{3}$ kg씩 나누어 준다면 모두 몇 명에게 나누어 줄 수 있을까요?

식 _____   답 _____ 명

배의 무게는 $\dfrac{3}{7}$ kg이고, 사과는 $\dfrac{2}{5}$ kg입니다. 배 무게는 사과 무게의 몇 배일까요?

식 _____   답 _____ 배

호수 한 바퀴를 걷는 데 민성이는 $\dfrac{7}{6}$ 시간이 걸렸고, 지안이는 $\dfrac{3}{4}$ 시간이 걸렸습니다. 민성이가 걸린 시간은 지안이가 걸린 시간의 몇 배일까요?

식 _____   답 _____ 배

나눗셈식으로 나타내고 답을 구해 보세요.

밀가루 $\frac{9}{4}$ kg이 있습니다. 케이크 한 개를 만드는 데 밀가루 $\frac{3}{8}$ kg이 필요하다면 케이크를 몇 개 만들 수 있을까요?

식 _____ 답 _____ 개

집에서 공원까지 가는 거리는 $\frac{8}{5}$ km입니다. 서희가 1분에 $\frac{1}{15}$ km씩 걸어간다면 집에서 공원까지 가는 데 몇 분이 걸릴까요?

식 _____ 답 _____ 분

1분에 $\frac{8}{9}$ km를 달리는 자동차가 있습니다. 이 자동차가 같은 빠르기로 $3\frac{2}{3}$ km를 가는 데 걸리는 시간은 몇 분일까요?

식 _____ 답 _____ 분

수도꼭지로 물 1L를 받는 데 $\frac{1}{3}$ 분이 걸립니다. $5\frac{1}{2}$ 분 동안 물을 받으면 몇 L를 받을 수 있을까요?

식 _____ 답 _____ L

📖 나눗셈식으로 나타내고 답을 구해 보세요.

수박 $\frac{3}{8}$개의 무게가 $\frac{13}{4}$kg입니다. 수박 1개의 무게는 몇 kg일까요?

식 _____ 답 _____ kg

무게가 $\frac{3}{5}$kg인 나무 막대 $\frac{6}{7}$m가 있습니다. 나무 막대 1m의 무게는 몇 kg일까요?

식 _____ 답 _____ kg

휴대 전화를 $\frac{2}{5}$만큼 충전하는 데 $\frac{2}{3}$시간이 걸립니다. 휴대 전화를 완전히 충전하는 데 걸리는 시간은 몇 시간일까요?

식 _____ 답 _____ 시간

휘발유 $\frac{5}{9}$L로 $6\frac{1}{4}$km를 가는 자동차가 있습니다. 이 자동차는 휘발유 1L로 몇 km를 갈 수 있을까요?

식 _____ 답 _____ km

5주차 분수의 나눗셈

📖 다음과 같이 두 가지 방법으로 계산해 보세요.

$$\frac{2}{3} \div \frac{5}{9} = \frac{\boxed{}}{9} \div \frac{5}{9} = \boxed{} \div \boxed{} = \frac{\boxed{}}{5} = \boxed{}$$

$$\frac{2}{3} \div \frac{5}{9} = \frac{2}{3} \times \frac{\boxed{}}{\boxed{}} = \frac{\boxed{}}{\boxed{}} = \boxed{}$$

$$\frac{5}{2} \div \frac{3}{7} = \frac{\boxed{}}{14} \div \frac{\boxed{}}{14} = \boxed{} \div \boxed{} = \frac{\boxed{}}{\boxed{}} = \boxed{}$$

$$\frac{5}{2} \div \frac{3}{7} = \frac{5}{2} \times \frac{\boxed{}}{\boxed{}} = \frac{\boxed{}}{\boxed{}} = \boxed{}$$

$$2\frac{1}{6} \div \frac{1}{4} = \frac{13}{6} \div \frac{1}{4} = \frac{\boxed{}}{12} \div \frac{\boxed{}}{12} = \boxed{} \div \boxed{} = \frac{\boxed{}}{\boxed{}} = \boxed{}$$

$$2\frac{1}{6} \div \frac{1}{4} = \frac{\boxed{}}{6} \div \frac{1}{4} = \frac{\boxed{}}{6} \times \boxed{} = \frac{\boxed{}}{\boxed{}} = \boxed{}$$

■ 방법 1 은 통분하여 계산하고, 방법 2 는 분수의 곱셈으로 나타내어 계산해 보세요.

$\dfrac{7}{9} \div \dfrac{1}{3}$

> 방법 1
>
> $\dfrac{7}{9} \div \dfrac{1}{3}$
>
> ──────────────
>
> 방법 2
>
> $\dfrac{7}{9} \div \dfrac{1}{3}$

$\dfrac{5}{3} \div \dfrac{2}{5}$

> 방법 1
>
> $\dfrac{5}{3} \div \dfrac{2}{5}$
>
> ──────────────
>
> 방법 2
>
> $\dfrac{5}{3} \div \dfrac{2}{5}$

$2\dfrac{1}{4} \div \dfrac{5}{8}$

> 방법 1
>
> $2\dfrac{1}{4} \div \dfrac{5}{8}$
>
> ──────────────
>
> 방법 2
>
> $2\dfrac{1}{4} \div \dfrac{5}{8}$

📘 잘못된 계산식입니다. 알맞은 말에 ◯표 하고, 바르게 계산해 보세요.

$$\frac{3}{5} \div \frac{3}{10} = 5 \div 10 = \frac{\overset{1}{\cancel{5}}}{\underset{2}{\cancel{10}}} = \frac{1}{2}$$

잘못된 이유 통분하여 (분모 , 분자)끼리 나누어야 합니다.

바른 계산

$$3\frac{2}{3} \div \frac{3}{4} = 3\frac{2}{3} \times \frac{4}{3} = 3\frac{8}{9}$$

잘못된 이유 (대분수 , 가분수)를 (대분수 , 가분수)로 나타내어야 합니다.

바른 계산

$$2\frac{1}{3} \div \frac{2}{9} = \frac{7}{3} \div \frac{2}{9} = \frac{\overset{1}{\cancel{3}}}{7} \times \frac{2}{\underset{3}{\cancel{9}}} = \frac{2}{21}$$

잘못된 이유 (나누어지는 수 , 나누는 수)의 분자와 분모를 바꾸어야 합니다.

바른 계산

■ 잘못된 계산식입니다. 바르게 계산해 보세요.

$$\frac{8}{9}\div\frac{2}{3}=\frac{8}{9}\div\frac{8}{12}=9\div12=\frac{\cancel{9}^{3}}{\cancel{12}_{4}}=\frac{3}{4}$$

$\dfrac{8}{9}\div\dfrac{2}{3}=$

$$5\frac{1}{2}\div\frac{5}{6}=5\frac{1}{\cancel{2}_{1}}\times\frac{\cancel{6}^{3}}{5}=5\frac{3}{5}$$

$5\dfrac{1}{2}\div\dfrac{5}{6}=$

$$\frac{3}{4}\div\frac{6}{7}=\frac{3}{\cancel{4}_{2}}\times\frac{\cancel{6}^{3}}{7}=\frac{9}{14}$$

$\dfrac{3}{4}\div\dfrac{6}{7}=$

$$12\div\frac{2}{3}=(12\div3)\times2=8$$

$12\div\dfrac{2}{3}=$

큰 수, 작은 수

■ 큰 수를 작은 수로 나눈 몫을 구해 보세요.

$$\frac{7}{4} \qquad \frac{2}{3}$$

가분수는 항상
진분수보다 큽니다.　(　　　　　　)

$$1\frac{4}{5} \qquad \frac{1}{5}$$

대분수는 항상
진분수보다 큽니다.　(　　　　　　)

$$\frac{5}{7} \qquad \frac{9}{2}$$

(　　　　　　)

$$\frac{2}{5} \qquad 3\frac{2}{3}$$

(　　　　　　)

$$\frac{11}{8} \qquad \frac{3}{4}$$

(　　　　　　)

$$1\frac{3}{7} \qquad \frac{5}{6}$$

(　　　　　　)

$$\frac{7}{9} \qquad \frac{14}{5}$$

(　　　　　　)

$$\frac{6}{7} \qquad 6\frac{3}{4}$$

(　　　　　　)

■ 수 카드를 빈칸에 한 번씩 써넣어 계산 결과가 가장 큰 식을 만들고, 계산해 보세요.

| 5 | 2 |

몫이 크려면 큰 수에서
작은 수를 나누어야 합니다.

$$\frac{4}{7} \div \frac{\square}{\square} = \underline{\quad\quad}$$

| 3 | 4 |

$$\frac{8}{5} \div \frac{\square}{\square} = \underline{\quad\quad}$$

| 3 | 7 |

$$\frac{\square}{\square} \div \frac{1}{2} = \underline{\quad\quad}$$

| 9 | 2 |

$$\frac{\square}{\square} \div \frac{3}{5} = \underline{\quad\quad}$$

| 2 | 4 |

$$\frac{\square}{9} \div \frac{\square}{5} = \underline{\quad\quad}$$

| 5 | 3 |

$$\frac{\square}{8} \div \frac{\square}{4} = \underline{\quad\quad}$$

| 3 | 7 |

$$\frac{1}{\square} \div \frac{1}{\square} = \underline{\quad\quad}$$

| 2 | 6 |

$$\frac{3}{\square} \div \frac{5}{\square} = \underline{\quad\quad}$$

곱셈과 나눗셈의 관계

🔖 곱셈식은 나눗셈식으로, 나눗셈식은 곱셈식으로 나타내어 보세요.

$$\frac{1}{3} \times \frac{2}{7} = \frac{2}{21}$$

$$\boxed{} \div \boxed{} = \frac{1}{3}$$

$$\boxed{} \div \frac{1}{3} = \boxed{}$$

$$\frac{3}{4} \div \frac{7}{8} = \frac{6}{7}$$

$$\frac{6}{7} \times \boxed{} = \boxed{}$$

$$\boxed{} \times \frac{6}{7} = \boxed{}$$

$$\frac{5}{6} \times \frac{3}{4} = \frac{5}{8}$$

$$\boxed{} \div \boxed{} = \boxed{}$$

$$\boxed{} \div \boxed{} = \boxed{}$$

$$9 \div \frac{3}{5} = 15$$

$$\boxed{} \times \boxed{} = \boxed{}$$

$$\boxed{} \times \boxed{} = \boxed{}$$

$$\frac{5}{8} \times 4 = 2\frac{1}{2}$$

$$\boxed{} \div \boxed{} = \boxed{}$$

$$\boxed{} \div \boxed{} = \boxed{}$$

$$5\frac{1}{4} \div \frac{7}{9} = 6\frac{3}{4}$$

$$\boxed{} \times \boxed{} = \boxed{}$$

$$\boxed{} \times \boxed{} = \boxed{}$$

식을 완성하고 곱셈식 또는 나눗셈식으로 나타내어 보세요. (분수는 기약분수로 나타냅니다.)

$\dfrac{2}{3} \times \dfrac{4}{7} = \boxed{}$

$\dfrac{4}{7} \times \dfrac{2}{3} = \boxed{}$

곱하는 두 수를 바꾸어도 계산 결과는 같습니다.

$\boxed{} \div \dfrac{4}{7} = \boxed{}$

$\boxed{} \div \dfrac{2}{3} = \boxed{}$

$\dfrac{5}{6} \times \dfrac{3}{5} = \boxed{}$

$\dfrac{3}{5} \times \boxed{} = \dfrac{1}{2}$

$\boxed{} \div \boxed{} = \boxed{}$

$\boxed{} \div \boxed{} = \boxed{}$

$\dfrac{1}{5} \div \dfrac{3}{4} = \boxed{}$

$\dfrac{1}{5} \div \boxed{} = \dfrac{3}{4}$

나누어지는 수가 같으면 나누는 수와 몫을 바꾸어도 식이 성립합니다.

$\dfrac{3}{4} \times \boxed{} = \boxed{}$

$\boxed{} \times \dfrac{3}{4} = \boxed{}$

$\dfrac{2}{5} \div \dfrac{9}{10} = \boxed{}$

$\boxed{} \div \dfrac{4}{9} = \dfrac{9}{10}$

$\boxed{} \times \boxed{} = \boxed{}$

$\boxed{} \times \boxed{} = \boxed{}$

🟦 빈칸에 알맞은 수를 써넣으세요. (분수는 기약분수로 나타냅니다.)

$\dfrac{1}{5} \div \boxed{} = \dfrac{3}{5}$

$\dfrac{1}{5} \div \dfrac{3}{5} = \boxed{}$

$\dfrac{2}{9} \div \boxed{} = \dfrac{7}{9}$

$\dfrac{1}{4} \div \boxed{} = \dfrac{2}{5}$

$\dfrac{2}{5} \div \boxed{} = \dfrac{1}{2}$

$\dfrac{2}{7} \div \boxed{} = \dfrac{5}{14}$

$\dfrac{5}{8} \div \boxed{} = \dfrac{3}{4}$

$\dfrac{1}{3} \div \boxed{} = \dfrac{7}{10}$

$\dfrac{4}{9} \div \boxed{} = \dfrac{2}{3}$

$\dfrac{3}{10} \div \boxed{} = \dfrac{4}{5}$

$\dfrac{5}{6} \div \boxed{} = \dfrac{15}{16}$

$\dfrac{4}{15} \div \boxed{} = \dfrac{2}{5}$

$\dfrac{3}{14} \div \boxed{} = \dfrac{1}{4}$

■ 빈칸에 알맞은 수를 써넣으세요. (분수는 기약분수로 나타냅니다.)

$\boxed{} \times \dfrac{1}{5} = \dfrac{4}{5}$

$\boxed{} \times \dfrac{1}{4} = \dfrac{2}{3}$

$\boxed{} \times \dfrac{2}{3} = \dfrac{5}{6}$

$\boxed{} \times \dfrac{4}{5} = \dfrac{7}{10}$

$\boxed{} \times \dfrac{2}{5} = 6$

$\boxed{} \times \dfrac{5}{7} = 4\dfrac{1}{6}$

$\dfrac{3}{5} \times \boxed{} = \dfrac{1}{4}$

$\dfrac{4}{9} \times \boxed{} = 1\dfrac{1}{3}$

$\dfrac{5}{6} \times \boxed{} = \dfrac{2}{9}$

$\dfrac{7}{9} \times \boxed{} = 2\dfrac{5}{8}$

$\dfrac{3}{7} \times \boxed{} = 1\dfrac{4}{5}$

$\dfrac{3}{10} \times \boxed{} = 4\dfrac{4}{5}$

■ 물음에 답하세요. (분수는 기약분수로 나타냅니다.)

어떤 수에서 $\dfrac{1}{6}$을 곱하였더니 $\dfrac{1}{2}$이 되었습니다.
어떤 수는 얼마일까요?

(   )

어떤 수에서 $\dfrac{5}{7}$를 곱하였더니 $\dfrac{2}{7}$가 되었습니다.
어떤 수는 얼마일까요?

(   )

어떤 수에서 $\dfrac{4}{5}$를 곱하였더니 $\dfrac{7}{15}$이 되었습니다.
어떤 수는 얼마일까요?

(   )

어떤 수에서 $\dfrac{8}{9}$을 곱하였더니 $3\dfrac{3}{5}$이 되었습니다.
어떤 수는 얼마일까요?

(   )

어떤 수에서 $\dfrac{5}{8}$를 곱하였더니 $7\dfrac{1}{7}$이 되었습니다.
어떤 수는 얼마일까요?

(   )

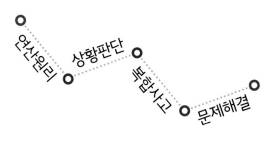

하루 한 장 75일
집중 완성

교과
연산

정답

초6

F2

분수의 나눗셈

HERO

정답

8·9쪽

26 덜어내어 계산하기

월 일

■ 빈칸에 알맞은 수를 써넣어 분수의 나눗셈을 해 보세요.

$\dfrac{3}{4}$에는 $\dfrac{1}{4}$이 3번 들어갑니다.

➡ $\dfrac{3}{4} \div \dfrac{1}{4} = \boxed{3}$

$\dfrac{8}{9}$에는 $\dfrac{2}{9}$가 $\boxed{4}$번 들어갑니다.

➡ $\dfrac{8}{9} \div \dfrac{2}{9} = \boxed{4}$

$\dfrac{6}{7}$에는 $\dfrac{3}{7}$이 $\boxed{2}$번 들어갑니다.

➡ $\dfrac{6}{7} \div \dfrac{3}{7} = \boxed{2}$

★ 덜어내기와 나눗셈

6에는 2가 3번 들어갑니다.

$6-2-2-2=0$

$6 \div 2 = 3$

$\dfrac{6}{7}$에는 $\dfrac{2}{7}$가 3번 들어갑니다.

$\dfrac{6}{7}-\dfrac{2}{7}-\dfrac{2}{7}-\dfrac{2}{7}=0$

$\dfrac{6}{7} \div \dfrac{2}{7} = 3$

$\dfrac{5}{7}$에는 $\dfrac{3}{7}$이 1묶음과 1묶음의 $\dfrac{2}{3}$가 들어갑니다.

$\dfrac{5}{7} \div \dfrac{3}{7} = 1\dfrac{2}{3}$

■ 빈칸에 알맞은 수를 써넣어 분수의 나눗셈을 해 보세요.

$\dfrac{3}{5}$에는 $\dfrac{2}{5}$ $\boxed{1}$묶음과 1묶음의 $\dfrac{\boxed{1}}{\boxed{2}}$이 들어갑니다. ➡ $\dfrac{3}{5} \div \dfrac{2}{5} = \boxed{1\dfrac{1}{2}}$

$\left(=\dfrac{3}{2}\right)$

$\dfrac{7}{9}$에는 $\dfrac{2}{9}$ $\boxed{3}$묶음과 1묶음의 $\dfrac{\boxed{1}}{\boxed{2}}$이 들어갑니다. ➡ $\dfrac{7}{9} \div \dfrac{2}{9} = \boxed{3\dfrac{1}{2}}$

$\left(=\dfrac{7}{2}\right)$

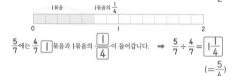

$\dfrac{5}{7}$에는 $\dfrac{4}{7}$ $\boxed{1}$묶음과 1묶음의 $\dfrac{\boxed{1}}{\boxed{4}}$이 들어갑니다. ➡ $\dfrac{5}{7} \div \dfrac{4}{7} = \boxed{1\dfrac{1}{4}}$

$\left(=\dfrac{5}{4}\right)$

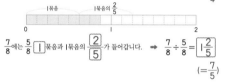

$\dfrac{7}{8}$에는 $\dfrac{5}{8}$ $\boxed{1}$묶음과 1묶음의 $\dfrac{\boxed{2}}{\boxed{5}}$가 들어갑니다. ➡ $\dfrac{7}{8} \div \dfrac{5}{8} = \boxed{1\dfrac{2}{5}}$

$\left(=\dfrac{7}{5}\right)$

10·11쪽

27 자연수로 계산하기

월 일

■ 빈칸에 알맞은 수를 써넣어 분수의 나눗셈을 해 보세요.

$\dfrac{4}{5} \div \dfrac{2}{5}$ $4 \div 2$

$\dfrac{4}{5}$는 $\dfrac{1}{5}$이 $\boxed{4}$개, $\dfrac{2}{5}$는 $\dfrac{1}{5}$이 $\boxed{2}$개이므로 $\dfrac{4}{5} \div \dfrac{2}{5}$는 $4 \div 2 = \boxed{2}$입니다.

$\dfrac{5}{7} \div \dfrac{2}{7}$ $5 \div 2$

$\dfrac{5}{7}$는 $\dfrac{1}{7}$이 $\boxed{5}$개, $\dfrac{2}{7}$는 $\dfrac{1}{7}$이 $\boxed{2}$개이므로 $\dfrac{5}{7} \div \dfrac{2}{7}$는 $5 \div 2 = \boxed{\dfrac{5}{2}} = \boxed{2\dfrac{1}{2}}$입니다.

$\dfrac{4}{9} \div \dfrac{5}{9}$ $4 \div 5$

$\dfrac{4}{9}$는 $\dfrac{1}{9}$이 $\boxed{4}$개, $\dfrac{5}{9}$는 $\dfrac{1}{9}$이 $\boxed{5}$개이므로 $\dfrac{4}{9} \div \dfrac{5}{9}$는 $4 \div 5 = \boxed{\dfrac{4}{5}}$입니다.

★ 자연수와 나눗셈

$\dfrac{4}{7}$는 $\dfrac{1}{7}$이 4개, $\dfrac{3}{7}$은 $\dfrac{1}{7}$이 3개이므로 $\dfrac{4}{7} \div \dfrac{3}{7}$은 4를 3으로 나누는 것과 같습니다.

$\dfrac{4}{7} \div \dfrac{3}{7} = 4 \div 3 = \dfrac{4}{3} = 1\dfrac{1}{3}$

$\dfrac{\blacksquare}{\blacktriangle} \div \dfrac{\bullet}{\blacktriangle} = \blacksquare \div \bullet = \dfrac{\blacksquare}{\bullet}$

■ 빈칸에 알맞은 수를 써넣어 분수의 나눗셈을 해 보세요.

$\dfrac{5}{6} \div \dfrac{1}{6} = 5 \div 1 = \boxed{5}$

$\dfrac{7}{9} \div \dfrac{1}{9} = \boxed{7} \div \boxed{1} = \boxed{7}$

$\dfrac{9}{10} \div \dfrac{3}{10} = \boxed{9} \div \boxed{3} = \boxed{3}$

$\dfrac{14}{15} \div \dfrac{2}{15} = \boxed{14} \div \boxed{2} = \boxed{7}$

$\dfrac{8}{9} \div \dfrac{4}{9} = \boxed{8} \div \boxed{4} = \boxed{2}$

$\dfrac{10}{13} \div \dfrac{5}{13} = \boxed{10} \div \boxed{5} = \boxed{2}$

$\dfrac{3}{8} \div \dfrac{7}{8} = \boxed{3} \div \boxed{7} = \boxed{\dfrac{3}{7}}$

$\dfrac{4}{5} \div \dfrac{3}{5} = \boxed{4} \div \boxed{3} = \boxed{1\dfrac{1}{3}}$

$\left(=\dfrac{4}{3}\right)$

$\dfrac{5}{9} \div \dfrac{8}{9} = \boxed{5} \div \boxed{8} = \boxed{\dfrac{5}{8}}$

$\dfrac{5}{7} \div \dfrac{4}{7} = \boxed{5} \div \boxed{4} = \boxed{1\dfrac{1}{4}}$

$\left(=\dfrac{5}{4}\right)$

$\dfrac{3}{11} \div \dfrac{10}{11} = \boxed{3} \div \boxed{10} = \boxed{\dfrac{3}{10}}$

$\dfrac{11}{12} \div \dfrac{7}{12} = \boxed{11} \div \boxed{7} = \boxed{1\dfrac{4}{7}}$

$\left(=\dfrac{11}{7}\right)$

28 분수의 나눗셈

📖 관계있는 것끼리 이어 보세요.

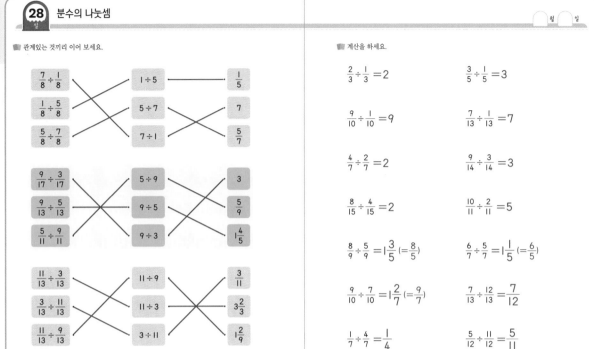

📖 계산을 하세요.

$$\frac{2}{3} \div \frac{1}{3} = 2 \qquad \frac{3}{5} \div \frac{1}{5} = 3$$

$$\frac{9}{10} \div \frac{1}{10} = 9 \qquad \frac{7}{13} \div \frac{1}{13} = 7$$

$$\frac{4}{7} \div \frac{2}{7} = 2 \qquad \frac{9}{14} \div \frac{3}{14} = 3$$

$$\frac{8}{15} \div \frac{4}{15} = 2 \qquad \frac{10}{11} \div \frac{2}{11} = 5$$

$$\frac{8}{9} \div \frac{5}{9} = 1\frac{3}{5}\left(=\frac{8}{5}\right) \qquad \frac{6}{7} \div \frac{5}{7} = 1\frac{1}{5}\left(=\frac{6}{5}\right)$$

$$\frac{9}{10} \div \frac{7}{10} = 1\frac{2}{7}\left(=\frac{9}{7}\right) \qquad \frac{7}{13} \div \frac{12}{13} = \frac{7}{12}$$

$$\frac{1}{7} \div \frac{4}{7} = \frac{1}{4} \qquad \frac{5}{12} \div \frac{11}{12} = \frac{5}{11}$$

29 계산 결과 비교하기

📖 계산 결과가 다른 식을 찾아 ○표 하세요.

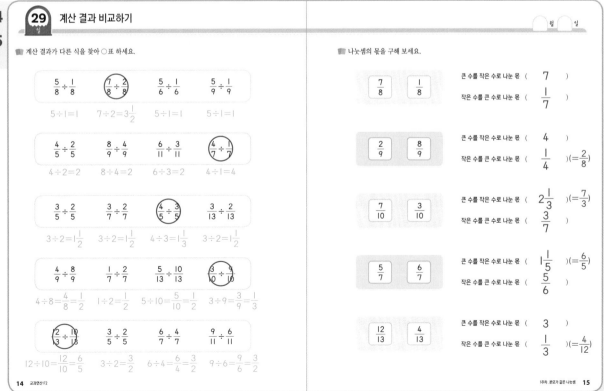

📖 나눗셈의 몫을 구해 보세요.

| $\frac{7}{8}$ | $\frac{1}{8}$ |

큰 수를 작은 수로 나눈 몫 (7)

작은 수를 큰 수로 나눈 몫 ($\frac{1}{7}$)

| $\frac{2}{9}$ | $\frac{8}{9}$ |

큰 수를 작은 수로 나눈 몫 (4)

작은 수를 큰 수로 나눈 몫 ($\frac{1}{4}$)$\left(=\frac{2}{8}\right)$

| $\frac{7}{10}$ | $\frac{3}{10}$ |

큰 수를 작은 수로 나눈 몫 ($2\frac{1}{3}$)$\left(=\frac{7}{3}\right)$

작은 수를 큰 수로 나눈 몫 ($\frac{3}{7}$)

| $\frac{5}{7}$ | $\frac{6}{7}$ |

큰 수를 작은 수로 나눈 몫 ($1\frac{1}{5}$)$\left(=\frac{6}{5}\right)$

작은 수를 큰 수로 나눈 몫 ($\frac{5}{6}$)

| $\frac{12}{13}$ | $\frac{4}{13}$ |

큰 수를 작은 수로 나눈 몫 (3)

작은 수를 큰 수로 나눈 몫 ($\frac{1}{3}$)$\left(=\frac{4}{12}\right)$

정답

16·17쪽

30 이야기하기

월 일

▥ 그림에 알맞은 진분수끼리의 나눗셈식을 만들고 답을 구해 보세요.

식 $\dfrac{5}{8} \div \dfrac{1}{8} = 5$ 답 5

용에는 늘이 5번 들어갑니다.

식 $\dfrac{8}{9} \div \dfrac{4}{9} = 2$ 답 2

식 $\dfrac{5}{9} \div \dfrac{2}{9} = 2\dfrac{1}{2}$ 답 $2\dfrac{1}{2}$
또는 $\dfrac{5}{9} \div \dfrac{2}{9} = \dfrac{5}{2}$ $\left(=\dfrac{5}{2}\right)$

식 $\dfrac{7}{10} \div \dfrac{3}{10} = 2\dfrac{1}{3}$ 답 $2\dfrac{1}{3}$
또는 $\dfrac{7}{10} \div \dfrac{3}{10} = \dfrac{7}{3}$ $\left(=\dfrac{7}{3}\right)$

▥ 진분수끼리의 나눗셈식으로 나타내고 답을 구해 보세요.

우유 $\dfrac{9}{10}$ L를 한 컵에 $\dfrac{3}{10}$ L씩 똑같이 나누어 담으려고 합니다. 몇 개의 컵에 나누어 담을 수 있을까요?

식 $\dfrac{9}{10} \div \dfrac{3}{10} = 3$ 답 3 개

소금 $\dfrac{5}{6}$ kg이 있습니다. 이 소금을 $\dfrac{1}{6}$ kg이 가득 차는 병에 나누어 담으려고 합니다. 몇 개의 병에 가득 채울 수 있을까요?

식 $\dfrac{5}{6} \div \dfrac{1}{6} = 5$ 답 5 개

지민이는 찰흙을 $\dfrac{8}{9}$ kg, 현우는 $\dfrac{7}{9}$ kg 가지고 있습니다. 지민이가 가진 찰흙 무게는 현우가 가진 찰흙 무게의 몇 배일까요?

8은 2의 몇 배인지 구하려면 8÷2이니까요.

식 $\dfrac{8}{9} \div \dfrac{7}{9} = 1\dfrac{1}{7}$ 답 $1\dfrac{1}{7}$ 배
또는 $\dfrac{8}{9} \div \dfrac{7}{9} = \dfrac{8}{7}$ $\left(=\dfrac{8}{7}\right)$

연아는 1분에 $\dfrac{2}{11}$ km를 달립니다. 같은 빠르기로 $\dfrac{9}{11}$ km를 달리는 데 걸리는 시간은 몇 분일까요?

유아는 유가 몇 번 들어가는지 구합니다.

식 $\dfrac{9}{11} \div \dfrac{2}{11} = 4\dfrac{1}{2}$ 답 $4\dfrac{1}{2}$ 분
또는 $\dfrac{9}{11} \div \dfrac{2}{11} = \dfrac{9}{2}$ $\left(=\dfrac{9}{2}\right)$

16 교과연산 F2

1주차 분모가 같은 나눗셈 17

18쪽

▥ 조건을 만족하는 진분수끼리의 나눗셈식을 써 보세요.

• 4÷3을 이용하여 계산할 수 있습니다.
• 분모가 6보다 작은 진분수의 나눗셈입니다.
• 두 분수의 분모는 같습니다.

$\dfrac{4}{5} \div \dfrac{3}{5}$

• 5÷6을 이용하여 계산할 수 있습니다.
• 분모가 8보다 작은 진분수의 나눗셈입니다.
• 두 분수의 분모는 같습니다.

$\dfrac{5}{7} \div \dfrac{6}{7}$

• 7÷1을 이용하여 계산할 수 있습니다.
• 분모가 10보다 작은 진분수의 나눗셈입니다.
• 두 분수의 분모는 같습니다.

$\dfrac{7}{9} \div \dfrac{1}{9}$

$\dfrac{7}{8} \div \dfrac{1}{8}$

• 9÷7을 이용하여 계산할 수 있습니다.
• 분모가 12보다 작은 진분수의 나눗셈입니다.
• 두 분수의 분모는 같습니다.

$\dfrac{9}{11} \div \dfrac{7}{11}$

$\dfrac{9}{10} \div \dfrac{7}{10}$

18 교과연산 F2

4 교과연산 F2

31 통분하여 계산하기 (1)

월 일

◼ 다음과 같이 통분하여 분자끼리 나누는 방법으로 분수의 나눗셈을 계산해 보세요.

$$\frac{3}{5} \div \frac{3}{10} = \frac{6}{10} \div \frac{3}{10} = 6 \div 3 = 2$$

10을 공통분모로 하여 통분합니다.

$$\frac{1}{3} \div \frac{1}{9} = \frac{\boxed{3}}{9} \div \frac{1}{9} = \boxed{3} \div 1 = \boxed{3}$$

$$\frac{3}{4} \div \frac{1}{12} = \frac{\boxed{9}}{12} \div \frac{1}{12} = \boxed{9} \div \boxed{1} = \boxed{9}$$

$$\frac{5}{7} \div \frac{5}{14} = \frac{\boxed{10}}{14} \div \frac{5}{14} = \boxed{10} \div \boxed{5} = \boxed{2}$$

$$\frac{1}{4} \div \frac{1}{8} = \frac{2}{8} \div \frac{1}{8} = 2 \div 1 = 2$$

$$\frac{4}{5} \div \frac{4}{15} = \frac{12}{15} \div \frac{4}{15} = 12 \div 4 = 3$$

◼ 계산해 보세요.

$$\frac{1}{3} \div \frac{1}{6} = 2$$

$$\frac{1}{2} \div \frac{1}{8} = 4$$

$$\frac{1}{6} \div \frac{1}{18} = 3$$

$$\frac{1}{9} \div \frac{1}{18} = 2$$

$$\frac{3}{4} \div \frac{1}{8} = 6$$

$$\frac{2}{5} \div \frac{1}{15} = 6$$

$$\frac{5}{8} \div \frac{1}{16} = 10$$

$$\frac{2}{3} \div \frac{1}{12} = 8$$

$$\frac{2}{3} \div \frac{2}{9} = 3$$

$$\frac{3}{4} \div \frac{3}{8} = 2$$

$$\frac{3}{4} \div \frac{3}{16} = 4$$

$$\frac{2}{3} \div \frac{2}{15} = 5$$

$$\frac{4}{5} \div \frac{3}{15} = 4$$

$$\frac{6}{7} \div \frac{4}{14} = 3$$

32 통분하여 계산하기 (2)

월 일

◼ 다음과 같이 통분하여 분자끼리 나누는 방법으로 분수의 나눗셈을 계산해 보세요.

$$\frac{3}{4} \div \frac{2}{3} = \frac{9}{12} \div \frac{8}{12} = 9 \div 8 = \frac{9}{8} = 1\frac{1}{8}$$

4와 3의 최소공배수인 12를 공통분모로 하여 통분합니다.

$$\frac{9}{10} \div \frac{2}{5} = \frac{9}{10} \div \frac{\boxed{4}}{10} = 9 \div \boxed{4} = \frac{\boxed{9}}{4} = \boxed{2\frac{1}{4}}$$

$$\frac{4}{5} \div \frac{1}{7} = \frac{\boxed{28}}{35} \div \frac{\boxed{5}}{35} = \boxed{28} \div 5 = \frac{\boxed{28}}{5} = \boxed{5\frac{3}{5}}$$

$$\frac{3}{4} \div \frac{5}{6} = \frac{\boxed{9}}{12} \div \frac{\boxed{10}}{12} = \boxed{9} \div \boxed{10} = \frac{\boxed{9}}{\boxed{10}}$$

$$\frac{2}{3} \div \frac{5}{12} = \frac{8}{12} \div \frac{5}{12} = 8 \div 5 = \frac{8}{5} = 1\frac{3}{5}$$

계산 결과를 대분수로 나타내지 않아도 정답입니다.

$$\frac{1}{4} \div \frac{3}{5} = \frac{5}{20} \div \frac{12}{20} = 5 \div 12 = \frac{5}{12}$$

◼ 계산해 보세요.

$$\frac{5}{9} \div \frac{1}{3} = 1\frac{2}{3} \left(= \frac{5}{3}\right)$$

$$\frac{7}{8} \div \frac{3}{4} = 1\frac{1}{6} \left(= \frac{7}{6}\right)$$

$$\frac{1}{2} \div \frac{7}{10} = \frac{5}{7}$$

$$\frac{13}{15} \div \frac{2}{3} = 1\frac{3}{10} \left(= \frac{13}{10}\right)$$

$$\frac{7}{12} \div \frac{5}{6} = \frac{7}{10}$$

$$\frac{2}{5} \div \frac{11}{15} = \frac{6}{11}$$

$$\frac{1}{2} \div \frac{1}{3} = 1\frac{1}{2} \left(= \frac{3}{2}\right)$$

$$\frac{1}{5} \div \frac{2}{3} = \frac{3}{10}$$

$$\frac{2}{3} \div \frac{3}{4} = \frac{8}{9}$$

$$\frac{5}{7} \div \frac{3}{4} = \frac{20}{21}$$

$$\frac{3}{4} \div \frac{1}{6} = 4\frac{1}{2} \left(= \frac{9}{2}\right)$$

$$\frac{5}{6} \div \frac{3}{8} = 2\frac{2}{9} \left(= \frac{20}{9}\right)$$

$$\frac{2}{9} \div \frac{5}{6} = \frac{4}{15}$$

$$\frac{7}{8} \div \frac{5}{12} = 2\frac{1}{10} \left(= \frac{21}{10}\right)$$

정답

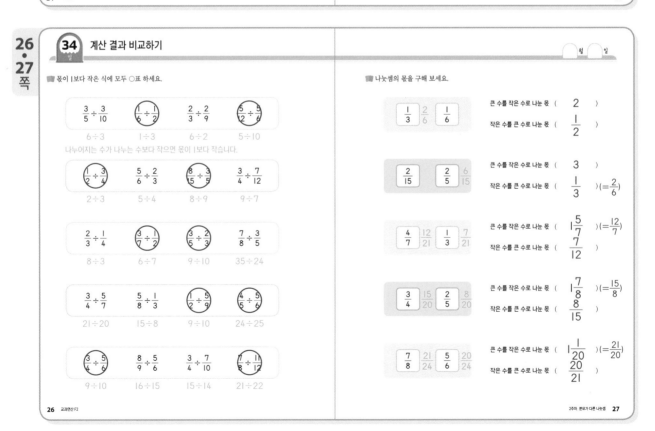

24·25쪽

33 분수의 나눗셈

빈칸에 알맞은 수를 써넣으세요.

빈 곳에 알맞은 수를 써넣으세요.

26·27쪽

34 계산 결과 비교하기

몫이 1보다 작은 식에 모두 ○표 하세요.

$$\frac{3}{5} \div \frac{3}{10} \qquad \boxed{\frac{1}{6} \div \frac{1}{2}} \qquad \frac{2}{3} \div \frac{2}{9} \qquad \boxed{\frac{5}{12} \div \frac{5}{6}}$$
6÷3   1÷3   6÷2   5÷10

나누어지는 수가 나누는 수보다 작으면 몫이 1보다 작습니다.

$$\boxed{\frac{1}{2} \div \frac{3}{3}} \qquad \frac{5}{6} \div \frac{2}{3} \qquad \boxed{\frac{8}{15} \div \frac{3}{5}} \qquad \frac{3}{4} \div \frac{7}{12}$$
2÷3   5÷4   8÷9   9÷7

$$\frac{2}{3} \div \frac{1}{4} \qquad \boxed{\frac{3}{7} \div \frac{3}{2}} \qquad \boxed{\frac{3}{5} \div \frac{3}{4}} \qquad \frac{7}{8} \div \frac{3}{5}$$
8÷3   6÷7   9÷10   35÷24

$$\frac{3}{4} \div \frac{5}{7} \qquad \frac{5}{8} \div \frac{1}{3} \qquad \boxed{\frac{1}{2} \div \frac{5}{9}} \qquad \boxed{\frac{4}{5} \div \frac{5}{6}}$$
21÷20   15÷8   9÷10   24÷25

$$\boxed{\frac{3}{4} \div \frac{5}{6}} \qquad \frac{8}{9} \div \frac{5}{6} \qquad \frac{3}{4} \div \frac{7}{10} \qquad \boxed{\frac{7}{8} \div \frac{11}{12}}$$
9÷10   16÷15   15÷14   21÷22

나눗셈의 몫을 구해 보세요.

큰 수를 작은 수로 나눈 몫 (2)
작은 수를 큰 수로 나눈 몫 ($\frac{1}{2}$)

큰 수를 작은 수로 나눈 몫 (3)
작은 수를 큰 수로 나눈 몫 ($\frac{1}{3}$) $(=\frac{2}{6})$

큰 수를 작은 수로 나눈 몫 ($1\frac{5}{7}$) $(=\frac{12}{7})$
작은 수를 큰 수로 나눈 몫 ($\frac{7}{12}$)

큰 수를 작은 수로 나눈 몫 ($1\frac{7}{8}$) $(=\frac{15}{8})$
작은 수를 큰 수로 나눈 몫 ($\frac{8}{15}$)

큰 수를 작은 수로 나눈 몫 ($1\frac{1}{20}$) $(=\frac{21}{20})$
작은 수를 큰 수로 나눈 몫 ($\frac{20}{21}$)

35 이야기하기

■ 진분수끼리의 나눗셈식으로 나타내고 답을 구해 보세요.

넓이가 $\frac{3}{7}$ m², 세로가 $\frac{1}{2}$ m인 직사각형의 가로는 몇 m일까요?

(가로)×(세로)=(넓이)
→ (넓이)÷(세로)=(가로)

식 $\dfrac{3}{7} \div \dfrac{1}{2} = \dfrac{6}{7}$ 답 $\dfrac{6}{7}$ m

집에서 학교까지의 거리는 $\frac{3}{5}$ km, 집에서 도서관까지의 거리는 $\frac{3}{10}$ km입니다. 집에서 학교까지의 거리는 집에서 도서관까지 거리의 몇 배일까요?

6은 3의 몇 배
→ 6÷3=2(배)

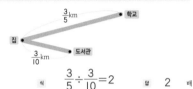

식 $\dfrac{3}{5} \div \dfrac{3}{10} = 2$ 답 2 배

■ 진분수끼리의 나눗셈식으로 나타내고 답을 구해 보세요.

승기는 1분에 $\frac{1}{6}$ km를 달립니다. 같은 빠르기로 $\frac{7}{12}$ km를 달리려면 몇 분 걸릴까요?

$\frac{7}{12}$ 에는 $\frac{1}{6}$ 이 몇 번 들어가는지 구합니다.

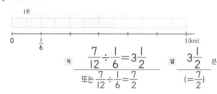

식 $\dfrac{7}{12} \div \dfrac{1}{6} = 3\dfrac{1}{2}$ 답 $3\dfrac{1}{2}$ 분
또는 $\dfrac{7}{12} \div \dfrac{1}{6} = \dfrac{7}{2}$ $(=\dfrac{7}{2})$

비가 온 후 지렁이가 $\frac{1}{9}$ m를 기어가는 데 $\frac{1}{3}$ 분이 걸렸습니다. 같은 빠르기로 1분 동안 기어갈 수 있는 거리는 몇 m일까요?

$\frac{1}{9}$ m를 가는 데 3분이 걸렸다면 1분에는 $\frac{1}{9}$ ÷3(m)를 갑니다.

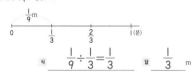

식 $\dfrac{1}{9} \div \dfrac{1}{3} = \dfrac{1}{3}$ 답 $\dfrac{1}{3}$ m

---

■ 진분수끼리의 나눗셈식으로 나타내고 답을 구해 보세요.

넓이가 $\frac{5}{12}$ m²이고, 가로가 $\frac{4}{9}$ m인 직사각형의 세로는 몇 m일까요?

식 $\dfrac{5}{12} \div \dfrac{4}{9} = \dfrac{15}{16}$ 답 $\dfrac{15}{16}$ m

물 $\frac{3}{5}$ L에 매실액 $\frac{2}{15}$ L를 섞어 매실 주스를 만들었습니다. 매실 주스에서 물의 양은 매실액 양의 몇 배일까요?

식 $\dfrac{3}{5} \div \dfrac{2}{15} = 4\dfrac{1}{2}$ 답 $4\dfrac{1}{2}$ 배
또는 $\dfrac{3}{5} \div \dfrac{2}{15} = \dfrac{9}{2}$ $(=\dfrac{9}{2})$

달팽이가 1분 동안 $\frac{1}{8}$ m를 기어갑니다. 같은 빠르기로 $\frac{3}{4}$ m를 기어가려면 몇 분이 걸릴까요?

식 $\dfrac{3}{4} \div \dfrac{1}{8} = 6$ 답 6 분

민아가 자전거를 타고 $\frac{5}{6}$ km를 가는 데 $\frac{1}{10}$ 시간이 걸립니다. 같은 빠르기로 1시간 동안 갈 수 있는 거리는 몇 km일까요?

식 $\dfrac{5}{6} \div \dfrac{1}{10} = 8\dfrac{1}{3}$ 답 $8\dfrac{1}{3}$ km
또는 $\dfrac{5}{6} \div \dfrac{1}{10} = \dfrac{25}{3}$ $(=\dfrac{25}{3})$

36 곱셈으로 계산하기 (1)

■ 빈칸에 알맞은 수를 써넣으세요.

3kg ➡ 9 kg

막대 $\frac{1}{3}$m의 무게가 3kg이라면 막대 1m는 $3 \div \frac{1}{3}=$ 9 (kg)입니다.

막대 $\frac{1}{3}$m의 무게가 3kg이라면 막대 1m는 $3 \times 3 =$ 9 (kg)입니다.

2kg ➡ 10 kg

막대 $\frac{1}{5}$m의 무게가 2kg이라면 막대 1m는 $2 \div \frac{1}{5}=$ 10 (kg)입니다.

막대 $\frac{1}{5}$m의 무게가 2kg이라면 막대 1m는 $2 \times 5 =$ 10 (kg)입니다.

★ (자연수)÷(단위분수)

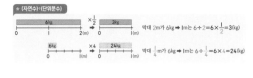

막대 2m가 6kg ➡ 1m는 $6 \div 2 = 6 \times \frac{1}{2} = 3$(kg)

막대 $\frac{1}{4}$m가 6kg ➡ 1m는 $6 \div \frac{1}{4} = 6 \times 4 = 24$(kg)

■ 다음과 같이 분수의 나눗셈을 자연수의 곱셈으로 바꾸어 계산해 보세요.

$6 \div \frac{1}{3} = 6 \times 3 = 18$

$1 \div \frac{1}{5} = 1 \times$ 5 $=$ 5

$2 \div \frac{1}{4} = 2 \times$ 4 $=$ 8

$10 \div \frac{1}{3} = 10 \times$ 3 $=$ 30

$5 \div \frac{1}{6} = 5 \times 6 = 30$

$5 \div \frac{1}{5} = 5 \times 5 = 25$

$12 \div \frac{1}{2} = 12 \times 2 = 24$

$7 \div \frac{1}{4} = 7 \times 4 = 28$

$8 \div \frac{1}{7} = 8 \times 7 = 56$

$15 \div \frac{1}{3} = 15 \times 3 = 45$

37 곱셈으로 계산하기 (2)

■ 빈칸에 알맞은 수를 써넣으세요.

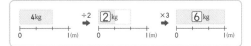

4kg ÷2 2 kg ×3 6 kg

막대 $\frac{2}{3}$m의 무게가 4kg이라면 막대 1m는 $4 \div \frac{2}{3}=$ 6 (kg)입니다.

막대 $\frac{2}{3}$m의 무게가 4kg이라면 막대 1m는 $(4 \div 2) \times 3 =$ 6 (kg)입니다.

12kg ÷4 3 kg ×5 15 kg

막대 $\frac{4}{5}$m의 무게가 12kg이라면 막대 1m는 $12 \div \frac{4}{5}=$ 15 (kg)입니다.

막대 $\frac{4}{5}$m의 무게가 12kg이라면 막대 1m는 $(12 \div 4) \times 5 =$ 15 (kg)입니다.

★ (자연수)÷(진분수)

6kg ÷3 2kg ×4 8kg

막대 $\frac{3}{4}$m가 6kg ➡ 1m는 $6 \div \frac{3}{4} = (6 \div 3) \times 4 = 8$(kg)

■ 다음과 같이 분수의 나눗셈을 자연수의 나눗셈과 곱셈으로 바꾸어 계산해 보세요.

$8 \div \frac{2}{3} = (8 \div 2) \times 3 = 12$

$4 \div \frac{4}{5} = (4 \div$ 4 $) \times$ 5 $=$ 5

$9 \div \frac{3}{7} = (9 \div$ 3 $) \times$ 7 $=$ 21

$10 \div \frac{5}{6} = (10 \div$ 5 $) \times$ 6 $=$ 12

$3 \div \frac{3}{4} = (3 \div 3) \times 4 = 4$

$8 \div \frac{4}{9} = (8 \div 4) \times 9 = 18$

$12 \div \frac{4}{5} = (12 \div 4) \times 5 = 15$

$6 \div \frac{3}{5} = (6 \div 3) \times 5 = 10$

$15 \div \frac{3}{7} = (15 \div 3) \times 7 = 35$

$14 \div \frac{7}{8} = (14 \div 7) \times 8 = 16$

38 분수의 나눗셈

■ 관계있는 것끼리 이어 보세요.

■ 자연수를 분수로 나눈 몫을 구해 보세요.

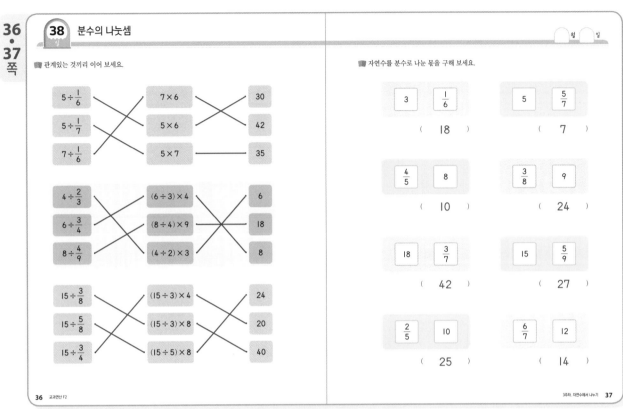

3	$\frac{1}{6}$		5	$\frac{5}{7}$
(18)			(7)	

$\frac{4}{5}$	8		$\frac{3}{8}$	9
(10)			(24)	

18	$\frac{3}{7}$		15	$\frac{5}{9}$
(42)			(27)	

$\frac{2}{5}$	10		$\frac{6}{7}$	12
(25)			(14)	

---

39 계산 결과 비교하기

■ 계산 결과가 같은 식 2개에 각각 ○표 하세요.

| ④ 4÷$\frac{1}{6}$ | 2÷$\frac{1}{3}$ | ⑥ 6÷$\frac{1}{4}$ | 12÷$\frac{1}{8}$ |

분자가 같으면 자연수와 분모가 바뀌어도 결과가 같습니다.

| 3÷$\frac{1}{9}$ | ⑥ 6÷$\frac{1}{9}$ | ⑨ 9÷$\frac{1}{6}$ | 6÷$\frac{1}{3}$ |

| 8÷$\frac{2}{9}$ | ⑥ 6÷$\frac{2}{5}$ | 4÷$\frac{2}{7}$ | ⑩ 10÷$\frac{2}{3}$ |

분자가 같으면 자연수와 분모의 곱이 같으면 결과가 같습니다.

| 5÷$\frac{5}{7}$ | 4÷$\frac{4}{5}$ | ⑦ 7÷$\frac{7}{8}$ | ③ 3÷$\frac{3}{8}$ |

| ⑩ 10÷$\frac{5}{6}$ | 8÷$\frac{4}{5}$ | 10÷$\frac{2}{5}$ | ⑧ 8÷$\frac{2}{3}$ |
| 12 | 10 | 25 | 12 |

■ 계산 결과가 큰 것부터 순서대로 기호를 써 보세요.

| ㉠ 5÷$\frac{1}{4}$ | ㉡ 5÷$\frac{1}{6}$ | ㉢ 5÷$\frac{1}{3}$ |
| 20 | 30 | 15 |

(㉡ , ㉠ , ㉢)

| ㉠ 4÷$\frac{4}{9}$ | ㉡ 8÷$\frac{4}{7}$ | ㉢ 12÷$\frac{4}{5}$ |
| 9 | 14 | 15 |

(㉢ , ㉡ , ㉠)

| ㉠ 7÷$\frac{7}{9}$ | ㉡ 3÷$\frac{3}{8}$ | ㉢ 5÷$\frac{5}{6}$ |
| 9 | 8 | 6 |

(㉠ , ㉡ , ㉢)

| ㉠ 4÷$\frac{2}{9}$ | ㉡ 9÷$\frac{3}{4}$ | ㉢ 10÷$\frac{5}{8}$ |
| 18 | 12 | 16 |

(㉠ , ㉢ , ㉡)

| ㉠ 14÷$\frac{7}{9}$ | ㉡ 15÷$\frac{3}{7}$ | ㉢ 12÷$\frac{3}{5}$ |
| 18 | 35 | 20 |

(㉡ , ㉢ , ㉠)

40 이야기하기

월 일

나눗셈식으로 나타내고 답을 구해 보세요.

길이가 4m인 끈을 $\frac{2}{5}$m씩 똑같이 잘라 학생들에게 하나씩 나누어 주려고 합니다. 학생 몇 명에게 나누어 줄 수 있을까요?

끈에는 $\frac{2}{5}$가 몇 번 들어가는지 구합니다.

```
        1명
├──┬──┼──┬──┼──┬──┼──┬──┼──
0  2/5  1     2     3     4 (m)
```

식 $4÷\frac{2}{5}=10$ 답 10 명

리본 한 개를 만드는 데 끈 $\frac{3}{4}$m가 필요합니다. 끈 6m로 만들 수 있는 리본은 몇 개일까요?

```
      1개
├──┼──┼──┼──┼──┼──┼──┼──
0  3/4 1   2   3   4   5   6 (m)
```

식 $6÷\frac{3}{4}=8$ 답 8 개

메론 $\frac{2}{3}$통의 무게가 2kg입니다. 메론 1통의 무게는 몇 kg일까요?

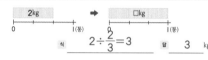

식 $2÷\frac{2}{3}=3$ 답 3 kg

나눗셈식으로 나타내고 답을 구해 보세요.

물 9L를 $\frac{3}{4}$L가 가득 차는 병에 나누어 담으려고 합니다. 물을 몇 병에 가득 채울 수 있을까요?

식 $9÷\frac{3}{4}=12$ 답 12 병

쌀 6kg이 있습니다. 준호네 가족이 쌀을 매일 $\frac{2}{9}$kg씩 먹는다면 며칠 동안 먹을 수 있을까요?

식 $6÷\frac{2}{9}=27$ 답 27 일

마당에 있는 나무의 높이는 4m, 강아지풀의 길이가 $\frac{2}{5}$m입니다. 나무의 높이는 강아지풀 길이의 몇 배일까요?

식 $4÷\frac{2}{5}=10$ 답 10 배

냉장고에 생수가 10L, 우유가 $\frac{5}{7}$L 있습니다. 냉장고에 있는 생수의 양은 우유 양의 몇 배일까요?

식 $10÷\frac{5}{7}=14$ 답 14 배

나눗셈식으로 나타내고 답을 구해 보세요.

승희가 종이배 1개를 접는 데 $\frac{5}{6}$분이 걸립니다. 같은 빠르기로 종이배를 10분 동안 접는다면 종이배를 몇 개 접을까요?

식 $10÷\frac{5}{6}=12$ 답 12 개

설탕 $\frac{2}{3}$g을 1원에 살 수 있습니다. 설탕 300g을 사려면 얼마가 필요할까요?

식 $300÷\frac{2}{3}=450$ 답 450 원

지민이가 종이학 12개를 접는 데 $\frac{2}{3}$시간이 걸렸습니다. 같은 빠르기로 종이학을 접는다면 1시간 동안 접을 수 있는 종이학은 몇 개일까요?

식 $12÷\frac{2}{3}=18$ 답 18 개

1500원으로 설탕 $\frac{3}{8}$kg을 살 수 있습니다. 설탕 1kg을 사려면 얼마가 필요할까요?

식 $1500÷\frac{3}{8}=4000$ 답 4000 원

41 곱셈으로 계산하기 (1)

월 일

▣ 빈칸에 알맞은 수를 써넣으세요.

$$\frac{2}{5} \div \frac{3}{4} = \frac{2}{5} \times \frac{1}{\boxed{3}} \times \boxed{4} = \frac{2}{5} \times \frac{4}{3} = \frac{\boxed{8}}{15}$$

4분은 $\frac{1}{3}$로 나타낼 수 있습니다.

또는 $\frac{5}{4}$

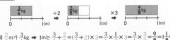

$$\frac{1}{2} \div \frac{2}{5} = \frac{1}{2} \times \frac{1}{\boxed{2}} \times \boxed{5} = \frac{1}{2} \times \frac{\boxed{5}}{\boxed{4}} = \frac{\boxed{5}}{4} = 1\frac{1}{4}$$

★ (진분수)÷(진분수)

막대 $\frac{3}{4}$m가 $\frac{3}{4}$kg ➡ 1m는 $\frac{3}{4} \div 2 = (\frac{3}{4} \div 2) \times 3 = \frac{3}{4} \times \frac{1}{2} \times 3 = \frac{3}{4} \times \frac{3}{2} = \frac{9}{8} = 1\frac{1}{8}$(kg)

▣ 다음과 같이 진분수의 나눗셈을 곱셈으로 바꾸어 계산해 보세요.

$$\frac{2}{3} \div \frac{5}{9} = \frac{2}{3} \times \frac{\boxed{9}}{5} = \frac{6}{5} = 1\frac{1}{5}$$

$$\frac{3}{5} \div \frac{1}{4} = \frac{3}{5} \times \boxed{4} = \frac{\boxed{12}}{5} = 2\frac{2}{5}$$

$$\frac{2}{5} \div \frac{6}{7} = \frac{2}{5} \times \frac{\boxed{7}}{\boxed{6}} = \frac{\boxed{7}}{\boxed{15}}$$ (또는 $\frac{14}{30}$)

$$\frac{5}{7} \div \frac{2}{3} = \frac{5}{7} \times \frac{\boxed{3}}{\boxed{2}} = \frac{\boxed{15}}{14} = 1\frac{1}{14}$$

$$\frac{1}{7} \div \frac{1}{3} = \frac{1}{7} \times 3 = \frac{3}{7}$$

$$\frac{5}{6} \div \frac{3}{5} = \frac{5}{6} \times \frac{5}{3} = \frac{25}{18} = 1\frac{7}{18}$$ (또는 $\frac{25}{18}$)

$$\frac{6}{7} \div \frac{8}{9} = \frac{6}{7} \times \frac{9}{8} = \frac{27}{28}$$ (또는 $\frac{54}{56}$)

$$\frac{8}{9} \div \frac{4}{5} = \frac{8}{9} \times \frac{5}{4} = \frac{10}{9} = 1\frac{1}{9}$$ (또는 $\frac{10}{9}, \frac{40}{36}, 1\frac{4}{36}$)

★ (분수)÷(분수)

(분수)÷(분수)에서 나눗셈을 곱셈으로 나타내고 나누는 수의 분모와 분자를 서로 바꾸어 (분수)×(분수)로 계산할 수 있습니다.

$$\frac{■}{▲} \div \frac{●}{★} = \frac{■}{▲} \times \frac{★}{●}$$

$$\frac{■}{▲} \div \frac{●}{★} = (\frac{■}{▲} \div ●) \times ★ = \frac{■}{▲} \times \frac{1}{●} \times ★ = \frac{■}{▲} \times \frac{★}{●}$$

---

42 곱셈으로 계산하기 (2)

월 일

▣ 다음과 같이 가분수의 나눗셈을 곱셈으로 바꾸어 계산해 보세요.

$$\frac{9}{8} \div \frac{5}{6} = \frac{9}{8} \times \frac{6}{5} = \frac{27}{20} = 1\frac{7}{20}$$

$$\frac{12}{7} \div \frac{4}{9} = \frac{12}{7} \times \frac{\boxed{9}}{\boxed{4}} = \frac{\boxed{27}}{\boxed{7}} = 3\frac{6}{7}$$ (또는 $\frac{108}{28} = 3\frac{24}{28}$)

$$\frac{8}{5} \div \frac{5}{6} = \frac{8}{5} \times \frac{\boxed{6}}{\boxed{5}} = \frac{\boxed{48}}{\boxed{25}} = 1\frac{23}{25}$$

$$\frac{4}{3} \div \frac{5}{7} = \frac{4}{3} \times \frac{7}{5} = \frac{28}{15} = 1\frac{13}{15}$$ (또는 $\frac{28}{15}$)

$$\frac{7}{2} \div \frac{4}{5} = \frac{7}{2} \times \frac{5}{4} = \frac{35}{8} = 4\frac{3}{8}$$ (또는 $\frac{35}{8}$)

$$\frac{9}{7} \div \frac{2}{7} = \frac{9}{7} \times \frac{7}{2} = \frac{9}{2} = 4\frac{1}{2}$$ (또는 $\frac{9}{2}, \frac{63}{14}, 4\frac{7}{14}$)

$$\frac{8}{3} \div \frac{5}{8} = \frac{8}{3} \times \frac{8}{5} = \frac{64}{15} = 4\frac{4}{15}$$ (또는 $\frac{64}{15}$)

$$\frac{7}{6} \div \frac{3}{4} = \frac{7}{6} \times \frac{4}{3} = \frac{14}{9} = 1\frac{5}{9}$$ (또는 $\frac{14}{9}, \frac{28}{18}, 1\frac{10}{18}$)

$$\frac{13}{9} \div \frac{2}{3} = \frac{13}{9} \times \frac{3}{2} = \frac{13}{6} = 2\frac{1}{6}$$ (또는 $\frac{13}{6}, \frac{39}{18}, 2\frac{3}{18}$)

▣ 다음과 같이 대분수의 나눗셈을 곱셈으로 바꾸어 계산해 보세요.

$$2\frac{1}{3} \div \frac{2}{3} = \frac{7}{3} \div \frac{2}{3} = \frac{7}{3} \times \frac{3}{2} = \frac{7}{2} = 3\frac{1}{2}$$

$$1\frac{4}{5} \div \frac{2}{9} = \frac{\boxed{9}}{5} \div \frac{2}{9} = \frac{\boxed{9}}{5} \times \frac{9}{2} = \frac{\boxed{81}}{10} = 8\frac{\boxed{1}}{10}$$

$$4\frac{3}{4} \div \frac{5}{8} = \frac{\boxed{19}}{4} \div \frac{5}{8} = \frac{\boxed{19}}{4} \times \frac{8}{5} = \frac{\boxed{38}}{5} = 7\frac{3}{5}$$ (또는 $\frac{152}{20} = 7\frac{12}{20}$)

$$1\frac{2}{7} \div \frac{2}{5} = \frac{9}{7} \div \frac{2}{5} = \frac{9}{7} \times \frac{5}{2} = \frac{45}{14} = 3\frac{3}{14}$$ (또는 $\frac{45}{14}$)

$$2\frac{5}{6} \div \frac{4}{9} = \frac{17}{6} \div \frac{4}{9} = \frac{17}{6} \times \frac{9}{4} = \frac{51}{8} = 6\frac{3}{8}$$ (또는 $\frac{51}{8}, \frac{153}{24}, 6\frac{9}{24}$)

$$3\frac{1}{5} \div \frac{4}{7} = \frac{16}{5} \div \frac{4}{7} = \frac{16}{5} \times \frac{7}{4} = \frac{28}{5} = 5\frac{3}{5}$$ (또는 $\frac{28}{5}, \frac{112}{20}, 5\frac{12}{20}$)

43 분수의 나눗셈

■ 관계있는 것끼리 이어 보세요.

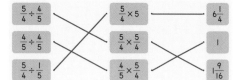

■ 계산을 하세요.

$\dfrac{7}{8} \div \dfrac{1}{8} = 7 \left(= \dfrac{56}{8}\right)$ 　　$\dfrac{4}{5} \div \dfrac{5}{6} = \dfrac{24}{25}$

$\dfrac{5}{9} \div \dfrac{2}{3} = \dfrac{5}{6} \left(= \dfrac{15}{18}\right)$ 　　$\dfrac{6}{7} \div \dfrac{3}{8} = 2\dfrac{2}{7} \left(= \dfrac{16}{7}, \dfrac{48}{21}, 2\dfrac{6}{21}\right)$

$\dfrac{8}{3} \div \dfrac{3}{5} = 4\dfrac{4}{9} \left(= \dfrac{40}{9}\right)$ 　　$\dfrac{9}{7} \div \dfrac{5}{7} = 1\dfrac{4}{5} \left(= \dfrac{9}{5}, \dfrac{63}{35}, 1\dfrac{28}{35}\right)$

$\dfrac{16}{5} \div \dfrac{4}{9} = 7\dfrac{1}{5} \left(= \dfrac{36}{5}, \dfrac{144}{20}, 7\dfrac{4}{20}\right)$　$\dfrac{15}{8} \div \dfrac{3}{5} = 3\dfrac{1}{8} \left(= \dfrac{25}{8}, \dfrac{75}{24}, 3\dfrac{3}{24}\right)$

$1\dfrac{1}{4} \div \dfrac{2}{3} = 1\dfrac{7}{8} \left(= \dfrac{15}{8}\right)$ 　　$3\dfrac{1}{3} \div \dfrac{5}{8} = 5\dfrac{1}{3} \left(= \dfrac{16}{3}, \dfrac{80}{15}, 5\dfrac{5}{15}\right)$

$4\dfrac{2}{3} \div \dfrac{5}{7} = 6\dfrac{8}{15} \left(= \dfrac{98}{15}\right)$ 　　$2\dfrac{4}{5} \div \dfrac{7}{8} = 3\dfrac{1}{5} \left(= \dfrac{16}{5}, \dfrac{112}{35}, 3\dfrac{7}{35}\right)$

$5\dfrac{1}{2} \div \dfrac{1}{3} = 16\dfrac{1}{2} \left(= \dfrac{33}{2}\right)$ 　　$2\dfrac{4}{7} \div \dfrac{3}{4} = 3\dfrac{3}{7} \left(= \dfrac{24}{7}, \dfrac{72}{21}, 3\dfrac{9}{21}\right)$

44 이야기하기 (1)

■ 나눗셈식으로 나타내고 답을 구해 보세요.

넓이가 $\dfrac{7}{10}$ m²인 직사각형이 있습니다. 세로가 $\dfrac{2}{5}$ m라면 가로는 몇 m일까요?

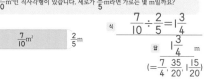

식 $\dfrac{7}{10} \div \dfrac{2}{5} = 1\dfrac{3}{4}$

답 $1\dfrac{3}{4}$ m

$\left(= \dfrac{7}{4}, \dfrac{35}{20}, 1\dfrac{15}{20}\right)$

넓이가 $\dfrac{9}{4}$ cm²인 평행사변형의 높이가 $\dfrac{11}{12}$ cm입니다. 밑변의 길이는 몇 cm일까요?

식 $\dfrac{9}{4} \div \dfrac{11}{12} = 2\dfrac{5}{11}$

답 $2\dfrac{5}{11}$ cm

$\left(= \dfrac{27}{11}, \dfrac{108}{44}, 2\dfrac{20}{44}\right)$

평행사변형의 넓이가 $2\dfrac{1}{6}$ cm², 밑면의 길이가 $\dfrac{5}{6}$ cm입니다. 높이는 몇 cm일까요?

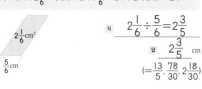

식 $2\dfrac{1}{6} \div \dfrac{5}{6} = 2\dfrac{3}{5}$

답 $2\dfrac{3}{5}$ cm

$\left(= \dfrac{13}{5}, \dfrac{78}{30}, 2\dfrac{18}{30}\right)$

■ 나눗셈식으로 나타내고 답을 구해 보세요.

승호는 $\dfrac{3}{4}$ 분 동안 $\dfrac{1}{16}$ km를 걷습니다. 같은 빠르기로 1분 동안 몇 km를 걸을까요?

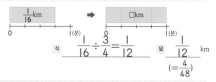

식 $\dfrac{1}{16} \div \dfrac{3}{4} = \dfrac{1}{12}$

답 $\dfrac{1}{12}$ km

$\left(= \dfrac{4}{48}\right)$

페인트 $\dfrac{2}{3}$ 통으로 벽 $\dfrac{5}{3}$ m²를 칠할 수 있습니다. 페인트 1통으로는 몇 m²를 칠할까요?

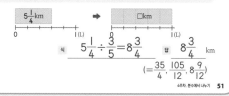

식 $\dfrac{5}{3} \div \dfrac{2}{3} = 2\dfrac{1}{2}$

답 $2\dfrac{1}{2}$ m²

$\left(= \dfrac{5}{2}, \dfrac{15}{6}, 2\dfrac{3}{6}\right)$

휘발유 $\dfrac{3}{5}$ L로 $5\dfrac{1}{4}$ km를 가는 트럭이 있습니다. 휘발유 1L로는 몇 km를 갈까요?

식 $5\dfrac{1}{4} \div \dfrac{3}{5} = 8\dfrac{3}{4}$

답 $8\dfrac{3}{4}$ km

$\left(= \dfrac{35}{4}, \dfrac{105}{12}, 8\dfrac{9}{12}\right)$

45 이야기하기 (2)

📖 나눗셈식으로 나타내고 답을 구해 보세요.

주스 $\frac{16}{5}$L가 있습니다. 매일 주스를 $\frac{1}{10}$L씩 마신다면 며칠 동안 마실 수 있을까요?

식 $\frac{16}{5} \div \frac{1}{10} = 32$ 답 32 일

$(=\frac{160}{5})$

찰흙이 $7\frac{1}{3}$kg 있습니다. 이 찰흙을 학생 한 명에게 $\frac{2}{3}$kg씩 나누어 준다면 모두 몇 명에게 나누어 줄 수 있을까요?

식 $7\frac{1}{3} \div \frac{2}{3} = 11$ 답 11 명

$(=\frac{66}{6})$

배의 무게는 $\frac{3}{7}$kg이고, 사과는 $\frac{2}{5}$kg입니다. 배 무게는 사과 무게의 몇 배일까요?

식 $\frac{3}{7} \div \frac{2}{5} = 1\frac{1}{14}$ 답 $1\frac{1}{14}$ 배

$(=\frac{15}{14})$

호수 한 바퀴를 걷는 데 민성이는 $\frac{7}{6}$시간이 걸렸고, 지안이는 $\frac{3}{4}$시간이 걸렸습니다. 민성이가 걸린 시간은 지안이가 걸린 시간의 몇 배일까요?

식 $\frac{7}{6} \div \frac{3}{4} = 1\frac{5}{9}$ 답 $1\frac{5}{9}$ 배

$(=\frac{14}{9}, \frac{28}{18}, 1\frac{10}{18})$

📖 나눗셈식으로 나타내고 답을 구해 보세요.

밀가루 $\frac{9}{4}$kg이 있습니다. 케이크 한 개를 만드는 데 밀가루 $\frac{3}{8}$kg이 필요하다면 케이크를 몇 개 만들 수 있을까요?

식 $\frac{9}{4} \div \frac{3}{8} = 6$ 답 6 개

$(=\frac{72}{12})$

집에서 공원까지 가는 거리는 $\frac{8}{5}$km입니다. 서희가 1분에 $\frac{1}{15}$km씩 걸어간다면 집에서 공원까지 가는 데 몇 분이 걸릴까요?

식 $\frac{8}{5} \div \frac{1}{15} = 24$ 답 24 분

$(=\frac{120}{5})$

1분에 $\frac{8}{9}$km를 달리는 자동차가 있습니다. 이 자동차가 같은 빠르기로 $3\frac{2}{3}$km를 가는 데 걸리는 시간은 몇 분일까요?

식 $3\frac{2}{3} \div \frac{8}{9} = 4\frac{1}{8}$ 답 $4\frac{1}{8}$ 분

$(=\frac{33}{8}, \frac{99}{24}, 4\frac{3}{24})$

수도꼭지로 물 1L를 받는 데 $\frac{1}{3}$분이 걸립니다. $5\frac{1}{2}$분 동안 물을 받으면 몇 L를 받을 수 있을까요?

식 $5\frac{1}{2} \div \frac{1}{3} = 16\frac{1}{2}$ 답 $16\frac{1}{2}$ L

$(=\frac{33}{2})$

📖 나눗셈식으로 나타내고 답을 구해 보세요.

수박 $\frac{3}{8}$개의 무게가 $\frac{13}{4}$kg입니다. 수박 1개의 무게는 몇 kg일까요?

식 $\frac{13}{4} \div \frac{3}{8} = 8\frac{2}{3}$ 답 $8\frac{2}{3}$ kg

$(=\frac{26}{3}, \frac{104}{12}, 8\frac{8}{12})$

무게가 $\frac{3}{5}$kg인 나무 막대 $\frac{6}{7}$m가 있습니다. 나무 막대 1m의 무게는 몇 kg일까요?

식 $\frac{3}{5} \div \frac{6}{7} = \frac{7}{10}$ 답 $\frac{7}{10}$ kg

$(=\frac{21}{30})$

휴대 전화를 $\frac{2}{5}$만큼 충전하는 데 $\frac{2}{3}$시간이 걸립니다. 휴대 전화를 완전히 충전하는 데 걸리는 시간은 몇 시간일까요?

식 $\frac{2}{3} \div \frac{2}{5} = 1\frac{2}{3}$ 답 $1\frac{2}{3}$ 시간

$(=\frac{5}{3}, \frac{10}{6}, 1\frac{4}{6})$

휘발유 $\frac{5}{9}$L로 $6\frac{1}{4}$km를 가는 자동차가 있습니다. 이 자동차는 휘발유 1L로 몇 km를 갈 수 있을까요?

식 $6\frac{1}{4} \div \frac{5}{9} = 11\frac{1}{4}$ 답 $11\frac{1}{4}$ km

$(=\frac{45}{4}, \frac{225}{20}, 11\frac{5}{20})$

46 여러 가지 계산 방법

월 일

■ 다음과 같이 두 가지 방법으로 계산해 보세요.

$$\frac{2}{3} \div \frac{5}{9} = \frac{6}{9} \div \frac{5}{9} = \boxed{6} \div \boxed{5} = \frac{\boxed{6}}{\boxed{5}} = 1\frac{\boxed{1}}{\boxed{5}}$$

$$\frac{2}{3} \div \frac{5}{9} = \frac{2}{3} \times \frac{\boxed{9}}{\boxed{5}} = \frac{\boxed{6}}{\boxed{5}} = 1\frac{\boxed{1}}{\boxed{5}}$$

(또는 $\frac{18}{15} = 1\frac{3}{15}$)

$$\frac{5}{2} \div \frac{3}{7} = \frac{\boxed{35}}{14} \div \frac{\boxed{6}}{14} = \boxed{35} \div \boxed{6} = \frac{\boxed{35}}{\boxed{6}} = 5\frac{5}{6}$$

$$\frac{5}{2} \div \frac{3}{7} = \frac{5}{2} \times \frac{\boxed{7}}{\boxed{3}} = \frac{\boxed{35}}{\boxed{6}} = 5\frac{5}{6}$$

$$2\frac{1}{6} \div \frac{1}{4} = \frac{13}{6} \div \frac{1}{4} = \frac{\boxed{26}}{12} \div \frac{\boxed{3}}{12} = \boxed{26} \div \boxed{3} = \frac{\boxed{26}}{\boxed{3}} = 8\frac{2}{3}$$

$$2\frac{1}{6} \div \frac{1}{4} = \frac{\boxed{13}}{6} \div \frac{1}{4} = \frac{\boxed{13}}{6} \times \frac{\boxed{4}}{\boxed{1}} = \frac{\boxed{26}}{\boxed{3}} = 8\frac{2}{3}$$

(또는 $\frac{52}{6} = 8\frac{4}{6}$)

■ 방법1 은 통분하여 계산하고, 방법2 는 분수의 곱셈으로 나타내어 계산해 보세요.

$\frac{7}{9} \div \frac{1}{3}$

방법1 $\frac{7}{9} \div \frac{1}{3} = \frac{7}{9} \div \frac{3}{9} = 7 \div 3 = \frac{7}{3} = 2\frac{1}{3}$ (또는 $\frac{7}{3}$)

방법2 $\frac{7}{9} \div \frac{1}{3} = \frac{7}{9} \times 3 = \frac{7}{3} = 2\frac{1}{3}$ (또는 $\frac{7}{3}, \frac{21}{9}, 2\frac{3}{9}$)

$\frac{5}{3} \div \frac{2}{5}$

방법1 $\frac{5}{3} \div \frac{2}{5} = \frac{25}{15} \div \frac{6}{15} = 25 \div 6 = \frac{25}{6} = 4\frac{1}{6}$ (또는 $\frac{25}{6}$)

방법2 $\frac{5}{3} \div \frac{2}{5} = \frac{5}{3} \times \frac{5}{2} = \frac{25}{6} = 4\frac{1}{6}$ (또는 $\frac{25}{6}$)

$2\frac{1}{4} \div \frac{5}{8}$

(또는 $\frac{18}{5}$)

방법1 $2\frac{1}{4} \div \frac{5}{8} = \frac{9}{4} \div \frac{5}{8} = \frac{18}{8} \div \frac{5}{8} = 18 \div 5 = \frac{18}{5} = 3\frac{3}{5}$

방법2 $2\frac{1}{4} \div \frac{5}{8} = \frac{9}{4} \div \frac{5}{8} = \frac{9}{4} \times \frac{8}{5} = \frac{18}{5} = 3\frac{3}{5}$

(또는 $\frac{18}{5}, \frac{72}{20}, 3\frac{12}{20}$)

47 바르게 계산하기

월 일

■ 잘못된 계산식입니다. 알맞은 말에 ○표 하고, 바르게 계산해 보세요.

$$\frac{3}{5} \div \frac{3}{10} = 5 \div 10 = \frac{5}{10} = \frac{1}{2}$$

잘못된 이유 통분하여 (분모 ⟨분자⟩)끼리 나누어야 합니다.

바른 계산 $\frac{3}{5} \div \frac{3}{10} = \frac{6}{10} \div \frac{3}{10} = 6 \div 3 = 2$

$$3\frac{2}{3} \div \frac{3}{4} = 3\frac{2}{3} \times \frac{4}{3} = 3\frac{8}{9}$$

잘못된 이유 (⟨대분수⟩ 가분수)를 (대분수 ⟨가분수⟩)로 나타내어야 합니다.

바른 계산 $3\frac{2}{3} \div \frac{3}{4} = \frac{11}{3} \div \frac{3}{4} = \frac{11}{3} \times \frac{4}{3} = \frac{44}{9} = 4\frac{8}{9}$

$$2\frac{1}{3} \div \frac{2}{9} = \frac{7}{3} \div \frac{2}{9} = \frac{7}{3} \times \frac{2}{9} = \frac{2}{21}$$

잘못된 이유 (나누어지는 수 ⟨나누는 수⟩)의 분자와 분모를 바꾸어야 합니다.

바른 계산 $2\frac{1}{3} \div \frac{2}{9} = \frac{7}{3} \div \frac{2}{9} = \frac{7}{3} \times \frac{9}{2} = \frac{21}{2} = 10\frac{1}{2}$

계산 결과를 대분수 또는 기약분수로 나타내지 않아도 정답입니다.

■ 잘못된 계산식입니다. 바르게 계산해 보세요.

$$\frac{8}{9} \div \frac{2}{3} = \frac{8}{9} \div \frac{8}{12} = 9 \div 12 = \frac{9}{12} = \frac{3}{4}$$

$\frac{8}{9} \div \frac{2}{3} = \frac{8}{9} \div \frac{6}{9} = 8 \div 6 = \frac{8}{6} = \frac{4}{3} = 1\frac{1}{3}$

$$5\frac{1}{2} \div \frac{5}{6} = 5\frac{1}{2} \times \frac{6}{5} = 5\frac{3}{5}$$

$5\frac{1}{2} \div \frac{5}{6} = \frac{11}{2} \div \frac{5}{6} = \frac{11}{2} \times \frac{6}{5} = \frac{33}{5} = 6\frac{3}{5}$

$$\frac{3}{4} \div \frac{6}{7} = \frac{3}{4} \times \frac{6}{7} = \frac{9}{14}$$

$\frac{3}{4} \div \frac{6}{7} = \frac{3}{4} \times \frac{7}{6} = \frac{7}{8}$

$$12 \div \frac{2}{3} = (12 \div 3) \times 2 = 8$$

$12 \div \frac{2}{3} = (12 \div 2) \times 3 = 18$

계산 결과를 대분수 또는 기약분수로 나타내지 않아도 정답입니다.

48일 큰 수, 작은 수

■ 큰 수를 작은 수로 나눈 몫을 구해 보세요.

| $\frac{7}{4}$ | $\frac{2}{3}$ |

가분수는 항상
진분수보다 큽니다.   ($2\frac{5}{8}$)

$$(= \frac{21}{8})$$

| $1\frac{4}{5}$ | $\frac{1}{5}$ |

대분수는 항상
진분수보다 큽니다.   (9)

$$(= \frac{45}{5})$$

| $\frac{5}{7}$ | $\frac{9}{2}$ |

($6\frac{3}{10}$)

$$(= \frac{63}{10})$$

| $\frac{2}{5}$ | $3\frac{2}{3}$ |

($9\frac{1}{6}$)

$$(= \frac{55}{6})$$

| $\frac{11}{8}$ | $\frac{3}{4}$ |

($1\frac{5}{6}$)

$$(= \frac{11}{6}, \frac{44}{24}, 1\frac{20}{24})$$

| $1\frac{3}{7}$ | $\frac{5}{6}$ |

($1\frac{5}{7}$)

$$(= \frac{12}{7}, \frac{60}{35}, 1\frac{25}{35})$$

| $\frac{7}{9}$ | $\frac{14}{5}$ |

($3\frac{3}{5}$)

$$(= \frac{18}{5}, \frac{126}{35}, 3\frac{21}{35})$$

| $\frac{6}{7}$ | $6\frac{3}{4}$ |

($7\frac{7}{8}$)

$$(= \frac{63}{8}, \frac{189}{24}, 7\frac{21}{24})$$

■ 수 카드를 빈칸에 한 번씩 써넣어 계산 결과가 가장 큰 식을 만들고, 계산해 보세요.

| 5 | 2 | 몫이 크려면 큰 수에서
작은 수를 나누어야 합니다.

$$\frac{4}{7} \div \frac{2}{5} = 1\frac{3}{7}$$
$$(= \frac{10}{7}, \frac{20}{14}, 1\frac{6}{14})$$

| 3 | 4 |

$$\frac{8}{5} \div \frac{3}{4} = 2\frac{2}{15}$$
$$(= \frac{32}{15})$$

| 3 | 7 |

$$\frac{7}{3} \div \frac{1}{2} = 4\frac{2}{3}$$
$$(= \frac{14}{3})$$

| 9 | 2 |

$$\frac{9}{2} \div \frac{3}{5} = 7\frac{1}{2}$$
$$(= \frac{15}{2}, \frac{45}{6}, 7\frac{3}{6})$$

| 3 | 7 |

$$\frac{4}{9} \div \frac{2}{5} = 1\frac{1}{9}$$
$$(= \frac{10}{9}, \frac{20}{18}, 1\frac{2}{18})$$

| 5 | 3 |

$$\frac{5}{8} \div \frac{3}{4} = \frac{5}{6}$$
$$(= \frac{20}{24})$$

| 3 | 7 |

$$\frac{1}{3} \div \frac{1}{7} = 2\frac{1}{3}$$
$$(= \frac{7}{3})$$

| 2 | 6 |

$$\frac{3}{2} \div \frac{5}{6} = 1\frac{4}{5}$$
$$(= \frac{9}{5}, \frac{18}{10}, 1\frac{8}{10})$$

49일 곱셈과 나눗셈의 관계

■ 곱셈식은 나눗셈식으로, 나눗셈식은 곱셈식으로 나타내어 보세요.

$$\frac{1}{3} \times \frac{2}{7} = \frac{2}{21}$$
$$\frac{2}{21} \div \frac{2}{7} = \frac{1}{3}$$
$$\frac{2}{21} \div \frac{1}{3} = \frac{2}{7}$$

$$\frac{3}{4} \div \frac{7}{8} = \frac{6}{7}$$
$$\frac{6}{7} \times \frac{7}{8} = \frac{3}{4}$$
$$\frac{7}{8} \times \frac{6}{7} = \frac{3}{4}$$

$$\frac{5}{6} \times \frac{3}{4} = \frac{5}{8}$$
$$\frac{5}{8} \div \frac{3}{4} = \frac{5}{6}$$
$$\frac{5}{8} \div \frac{5}{6} = \frac{3}{4}$$

$$9 \div \frac{3}{5} = 15$$
$$15 \times \frac{3}{5} = 9$$
$$\frac{3}{5} \times 15 = 9$$

$$\frac{5}{8} \times 4 = 2\frac{1}{2}$$
$$2\frac{1}{2} \div 4 = \frac{5}{8}$$
$$2\frac{1}{2} \div \frac{5}{8} = 4$$

$$5\frac{1}{4} \div \frac{7}{9} = 6\frac{3}{4}$$
$$6\frac{3}{4} \times \frac{7}{9} = 5\frac{1}{4}$$
$$\frac{7}{9} \times 6\frac{3}{4} = 5\frac{1}{4}$$

■ 식을 완성하고 곱셈식 또는 나눗셈식으로 나타내어 보세요. (분수는 기약분수로 나타냅니다.)

곱하는 두 수를 바꾸어
도 계산 결과는
같습니다.

$$\frac{2}{3} \times \frac{4}{7} = \frac{8}{21}$$
$$\frac{4}{7} \times \frac{2}{3} = \frac{8}{21}$$

$$\frac{8}{21} \div \frac{4}{7} = \frac{2}{3}$$
$$\frac{8}{21} \div \frac{2}{3} = \frac{4}{7}$$

$$\frac{5}{6} \times \frac{3}{5} = \frac{1}{2}$$
$$\frac{3}{5} \times \frac{5}{6} = \frac{1}{2}$$

$$\frac{1}{2} \div \frac{3}{5} = \frac{5}{6}$$
$$\frac{1}{2} \div \frac{5}{6} = \frac{3}{5}$$

나누어지는 수가 같으면
나누는 수와 몫을 바꾸
어도 식이 성립합니다.

$$\frac{1}{5} \div \frac{3}{4} = \frac{4}{15}$$
$$\frac{1}{5} \div \frac{4}{15} = \frac{3}{4}$$

$$\frac{3}{4} \times \frac{4}{15} = \frac{1}{5}$$
$$\frac{4}{15} \times \frac{3}{4} = \frac{1}{5}$$

$$\frac{2}{5} \div \frac{9}{10} = \frac{4}{9}$$
$$\frac{2}{5} \div \frac{4}{9} = \frac{9}{10}$$

$$\frac{4}{9} \times \frac{9}{10} = \frac{2}{5}$$
$$\frac{9}{10} \times \frac{4}{9} = \frac{2}{5}$$

64·65쪽

50 □가 있는 식

월 일

☙ 빈칸에 알맞은 수를 써넣으세요. (분수는 기약분수로 나타냅니다.)

$\dfrac{1}{5} \div \boxed{\dfrac{1}{3}} = \dfrac{3}{5}$　　$\dfrac{2}{9} \div \boxed{\dfrac{2}{7}} = \dfrac{7}{9}$
$\dfrac{1}{5} \div \dfrac{3}{5} = \square$

$\dfrac{1}{4} \div \boxed{\dfrac{5}{8}} = \dfrac{2}{5}$　　$\dfrac{2}{5} \div \boxed{\dfrac{4}{5}} = \dfrac{1}{2}$

$\dfrac{2}{7} \div \boxed{\dfrac{4}{5}} = \dfrac{5}{14}$　　$\dfrac{5}{8} \div \boxed{\dfrac{5}{6}} = \dfrac{3}{4}$

$\dfrac{1}{3} \div \boxed{\dfrac{10}{21}} = \dfrac{7}{10}$　　$\dfrac{4}{9} \div \boxed{\dfrac{2}{3}} = \dfrac{2}{3}$

$\dfrac{3}{10} \div \boxed{\dfrac{3}{8}} = \dfrac{4}{5}$　　$\dfrac{5}{6} \div \boxed{\dfrac{8}{9}} = \dfrac{15}{16}$

$\dfrac{4}{15} \div \boxed{\dfrac{2}{3}} = \dfrac{2}{5}$　　$\dfrac{3}{14} \div \boxed{\dfrac{6}{7}} = \dfrac{1}{4}$

☙ 빈칸에 알맞은 수를 써넣으세요. (분수는 기약분수로 나타냅니다.)

$\boxed{4} \times \dfrac{1}{5} = \dfrac{4}{5}$　　$\boxed{2\dfrac{2}{3}} \times \dfrac{1}{4} = \dfrac{2}{3}$
　　　　　　　　　$\left(= \dfrac{8}{3}\right)$

$\boxed{1\dfrac{1}{4}} \times \dfrac{2}{3} = \dfrac{5}{6}$　　$\boxed{\dfrac{7}{8}} \times \dfrac{4}{5} = \dfrac{7}{10}$
$\left(= \dfrac{5}{4}\right)$

$\boxed{15} \times \dfrac{2}{5} = 6$　　$\boxed{5\dfrac{5}{6}} \times \dfrac{5}{7} = 4\dfrac{1}{6}$
　　　　　　　　　$\left(= \dfrac{35}{6}\right)$

$\dfrac{3}{5} \times \boxed{\dfrac{5}{12}} = \dfrac{1}{4}$　　$\dfrac{4}{9} \times \boxed{3} = 1\dfrac{1}{3}$

$\dfrac{5}{6} \times \boxed{\dfrac{4}{15}} = \dfrac{2}{9}$　　$\dfrac{7}{9} \times \boxed{3\dfrac{3}{8}} = 2\dfrac{5}{8}$
　　　　　　　　　$\left(= \dfrac{27}{8}\right)$

$\dfrac{3}{7} \times \boxed{4\dfrac{1}{5}} = 1\dfrac{4}{5}$　　$\dfrac{3}{10} \times \boxed{16} = 4\dfrac{4}{5}$
$\left(= \dfrac{21}{5}\right)$

66쪽

☙ 물음에 답하세요. (분수는 기약분수로 나타냅니다.)

어떤 수에서 $\dfrac{1}{6}$을 곱하였더니 $\dfrac{1}{2}$이 되었습니다.
어떤 수는 얼마일까요?　　(3)
$\dfrac{1}{2} \div \dfrac{1}{6} = 3$

어떤 수에서 $\dfrac{5}{7}$를 곱하였더니 $\dfrac{2}{7}$가 되었습니다.
어떤 수는 얼마일까요?　　$\left(\dfrac{2}{5} \right)$
$\dfrac{2}{7} \div \dfrac{5}{7} = \dfrac{2}{5}$

어떤 수에서 $\dfrac{4}{5}$를 곱하였더니 $\dfrac{7}{15}$이 되었습니다.
어떤 수는 얼마일까요?　　$\left(\dfrac{7}{12} \right)$
$\dfrac{7}{15} \div \dfrac{4}{5} = \dfrac{7}{12}$

어떤 수에서 $\dfrac{8}{9}$을 곱하였더니 $3\dfrac{3}{5}$이 되었습니다.
어떤 수는 얼마일까요?　　$\left(4\dfrac{1}{20} \right)\left(= \dfrac{81}{20}\right)$
$3\dfrac{3}{5} \div \dfrac{8}{9} = 4\dfrac{1}{20}$

어떤 수에서 $\dfrac{5}{8}$를 곱하였더니 $7\dfrac{1}{7}$이 되었습니다.
어떤 수는 얼마일까요?　　$\left(11\dfrac{3}{7} \right)\left(= \dfrac{80}{7}\right)$
$7\dfrac{1}{7} \div \dfrac{5}{8} = 11\dfrac{3}{7}$

하루 한 장 75일
집중 완성

교과 연산

교과연산

수특강   집중연산

초6

F0

F1, F2, F3

"연산을 이해하려면 수를 먼저 이해해야 합니다."

"계산은 문제를 해결하는 하나의 과정입니다."

"교과연산은 상황을 판단하는 능력을 길러줍니다."

HERO